ROSIE

E GLI SCOIATTOLI
DI ST. JAMES

Giunti Editore è socio di IBBY Italia

ITALIA
Leggere per crescere liberi

Sostieni anche tu IBBY Italia, i libri per ragazzi, la lettura e il diritto a diventare lettori.
www.ibbyitalia.it

Testo: Simonetta Agnello Hornby, George Hornby
Illustrazioni: Mariolina Camilleri
Progetto grafico: Adria Villa

www.giunti.it

© 2018 Giunti Editore S.p.A.
Via Bolognese, 165 - 50139 Firenze - Italia
Piazza Virgilio, 4 - 20123 Milano - Italia

Prima edizione: settembre 2018

Stampato presso Lito Terrazzi Srl - Stabilimento di Iolo

SIMONETTA AGNELLO HORNBY
GEORGE HORNBY

E GLI SCOIATTOLI
DI ST. JAMES

ILLUSTRAZIONI DI
MARIOLINA CAMILLERI

G GIUNTI

BLA...
BLA... BLA...

ROSIE LA CHIACCHIERA

R OSIE "LA CHIACCHIERA", così la chiamavano i suoi compagni, e persino i maestri facevano
silenzio per ascoltare le sue storie fantasiose. Alla St.
Mungo di Peckham, nei primi giorni di ogni trimestre,
gli alunni erano invitati a mettersi in piedi accanto alla
cattedra dell'insegnante per raccontare a turno quello
che avevano fatto durante le vacanze.

Alcuni descrivevano gite al mare o in montagna e
visite ai nonni, altri, i più ricchi, vacanze all'estero, e

MAUDE

DARCUS

BRENDA

ROSIE

DA-WATSON

molti parlavano di lunghe giornate passate nei centri commerciali, dei film che avevano visto, dei negozi dove avevano fatto compere e dei ristoranti dove avevano mangiato.

Rosie si sentiva un po' diversa. Sua madre le diceva che era "speciale" e suo padre la chiamava "la meraviglia della famiglia", ma a lei bastava il suo nome, Rosalia Giuffrida-Watson o, più semplicemente, Rosie.

I suoi genitori erano entrambi autisti di autobus e non si potevano permettere troppe vacanze. Un anno sì e uno no, a Natale, facevano un lungo viaggio per andare a trovare la nonna Maude e i fratelli e nipoti della mamma in Giamaica. Ogni estate, invece, Rosie andava dai nonni paterni in Sicilia. Questi viaggi le davano molto da dire all'inizio del primo trimestre e, ad anni alterni, all'inizio del secondo, ma per tutto il resto del tempo doveva trovare altro da raccontare.

Durante le vacanze "a casa", i genitori cercavano di alternarsi al lavoro per non lasciarla sola.

Nessuno dei due aveva parenti in Inghilterra. Bruno era stato il solo della sua famiglia a venire a Londra per imparare l'inglese e poi, essendosi trovato inaspettatamente bene, non era più tornato a casa.

Quando Bruno e Brenda si conobbero, lei lo presentò

alla sua famiglia numerosa. Da allora, tutti i fratelli avevano seguito la nonna Maude che, una volta andata in pensione, aveva deciso di tornare al suo paese nativo in Giamaica; tutti, eccetto Brenda.

2
BAMBINA A BORDO

BRUNO ERA MOLTO FIERO della sua professione di autista. Era una bella responsabilità trasportare ben due piani di passeggeri. «Noi siamo il sangue della città» diceva alla moglie, «portiamo l'ossigeno ai muscoli di Londra per farla lavorare e crescere. In pochi si rendono conto del nostro valore, ma senza di noi la città non funzionerebbe».

«Sei il solito romantico» gli rispondeva Brenda, «ma dici bene, i capi danno il nostro lavoro per scontato e tocca a noi del sindacato non farci sfruttare. È così e basta. Niente di più, niente di meno!».

L'inverno precedente Brenda era stata eletta rappresentante del sindacato degli autisti dell'autorimessa di Peckham, il quartiere di Londra a sud del Tamigi dove vivevano. Quel Natale c'era stato un gelo fortissimo che aveva fatto ghiacciare l'acqua nelle condotte. A gennaio, quando la temperatura aveva iniziato a risalire lentamente sopra lo zero, il ghiaccio si era sciolto e la condotta davanti alla St. Mungo si era rivelata malamente lesionata. Tanto che in poche ore un lago aveva coperto il marciapiede, la strada e, passando sotto e poi tra le sbarre del cancello della scuola, il cortile e una gran parte del pianterreno della St. Mungo, costringendo la preside a chiudere la scuola per qualche giorno. Proprio allora Brenda era stata convocata dal sindacato per un corso di formazione fuori Londra, e Bruno era stato costretto a portarsi Rosie in autorimessa e le aveva spiegato il gioco che avrebbero fatto quel giorno.

Mentre le riempiva lo zainetto di frutta, carote, un panino improvvisato e mezza tavoletta di cioccolata amara da cucina, le spiegò le regole del gioco:

«Oggi faremo un giro turistico di Londra. Io faccio

da autista e guida, e tu, Rosalia, farai la brava turista». A sentirsi chiamare con il nome completo invece del semplice Rosie la bambina drizzò le orecchie. Il nome intero voleva dire che si parlava di cose serie. «Ora andiamo assieme a timbrare il cartellino nell'autorimessa e poi prendiamo un autobus speciale. Non il 37 e nemmeno il 197, ma il misterioso...» e abbassando la voce e scandendo lentamente le parole «... tre-quattro-cinque».

Incuriosita e un po' intimorita dal tono dell'annuncio, ma facendo attenzione a non darlo a vedere, Rosie rispose: «E che c'è di tanto misterioso nel 345?». Il padre, vedendo che la sua pesciolina aveva trovato l'esca appetibile, decise che poteva cominciare a raccontare.

Sempre a voce bassa continuò: «La rotta di quell'autobus è antica e contorta. Il vecchio Burt dice che traccia una linea di energia druidica tra il cerchio di pietre di Stonehenge e la Grande Muraglia cinese. Tuttora nessuno sembra conoscere l'esatto percorso, né il numero di fermate, nemmeno i vecchi autisti come Burt. E così, la tua missione, se decidi di accettarla, è di percorrere l'intera rotta e contare, se ci riesci, il numero esatto di fermate tra Peckham e South Kensington». A Bruno parve di intravedere un'ombra di incertezza sul viso della figlia. Ma fece finta di nulla e continuò. «E se ci riesci, la seconda metà della tavoletta di cioccolata sarà tua per farci quello che vuoi».

«Ci sto!» esclamò Rosie. Padre e figlia uscirono in fretta dall'appartamento, infilandosi i cappotti in ascensore per non perdere tempo e arrivare prima possibile all'autorimessa.

Alla partenza, Rosie era l'unica passeggera. Bruno la vedeva nella telecamera del primo piano, protesa in avanti con il naso schiacciato all'insù contro il vetro e respirando forte per appannarlo. Bruno accese l'altoparlante del conducente: «Si prega la passeggera numero uno di usufruire del fazzoletto messole a disposizione nello zaino, invece dei vetri del mezzo, se ha bisogno di soffiarsi il naso e, se vuole disegnare, la si prega altresì di usare matite e carta, invece di sporcare i finestrini usando le dita».

Bruno la vide tirarsi indietro sorpresa e guardarsi intorno per capire da dove veniva la voce. Finalmente Rosie individuò gli altoparlanti e poi le telecamere; ridacchiava tra sé e sé, poi si avvicinò alla telecamera con occhi furbastri. In cabina, Bruno vide la faccia di sua figlia riempire lo schermo, tirare in su il naso a maialino con le dita, incrociare gli occhi e cacciar fuori la lingua. Cominciava a pentirsi di averla portata con sé sul lavoro, ma non sapeva che altro avrebbe potuto fare.

Alla fine il viaggio andò bene, anzi, per Rosie, benissimo. Alla seconda fermata, che Rosie stava segnando sul quaderno, salì una vecchietta che come lei prese posto in prima fila, ma dall'altro lato. Rosie la osservava di nascosto: stivali neri di cuoio, piatti e dalla suola spessa, che arrivavano fino al ginocchio, gonna scozzese con una grande spilla da balia per evitare spifferi, lungo cappotto nero imbottito come un piumino e berretto marrone da cacciatore con copriorecchie e nastri che penzolavano a destra e a sinistra per via delle curve.

Rosie stava per segnare la quinta fermata sul foglio che aveva intitolato "Per Burt", quando l'autobus fece una partenza un po' più brusca del solito e la signora del copriorecchie si fece scappare un pacchetto dalle mani. Caddero a terra decine di caramelle che iniziarono a scivolare indietro sul pavimento via via che l'autobus prendeva velocità. Da seduta, la signora iniziò a raccoglierle, ma Rosie, vedendola in difficoltà, si alzò per aiutarla a catturare le caramelle che erano sfuggite più lontano.

Da quel momento, per il resto del viaggio, le due furono inseparabili. Anche quando la signora dichiarò che sarebbe stato imprudente mangiare più della metà delle caramelle, Rosie, che nel frattempo le si era seduta accanto, rimase ad ascoltare le sue storie sui posti che passavano e su come erano una volta quando lei era giovane.

Si chiamava Mrs Draper ed era pallida, piena di rughe e con un naso a punta che pendeva leggermente verso il basso. Sembrava che non ci fosse cosa che non sapesse di quelle strade e di quelle zone di Londra: una volta Camberwell era aperta campagna ed era famosa per le sue farfalle blu, grandi quanto il palmo di una mano; Brixton era stato un quartiere molto ricco con ben quattro teatri frequentati da nobili e reali; e sui grandi spazi verdi di Clapham Common un tempo c'erano quattrocento alberi che caddero tutti in una sola notte di tempesta nel 1987. Mrs Draper raccontava con il sorriso sulle labbra e occhi lucidi e vivaci. Rosie raccoglieva ogni parola, era come ascoltare la storia della buonanotte ma senza dovere interrompere per dormire.

Soltanto dopo Clapham le storie della signora rallentarono; Rosie pensò che forse si era stancata e che era meglio tornare al suo posto dall'altro lato del corridoio. «Vuole che la lasci riposare un po'?» le chiese. «Le sue storie sono meravigliose, ma non vorrei farle stancare la voce!»

«Per nulla! Mi piace assai parlare, io vivo sola e certi

giorni non apro bocca!» rispose Mrs Draper. «Stavo solo pensando a tutti quei begli alberi andati persi. Da piccola, più o meno quando avevo la tua età, mia madre portava me e i miei fratelli a vedere il festival dei cavalli che si teneva ogni anno a Clapham Common. Certo i cavalli erano bellissimi, ma il ricordo che mi è sempre rimasto più impresso sono i tanti scoiattoli grigi che venivano a prendere i pezzi di pane duro dalle mani di noi bambini. Erano così belli, occhi grandi e scuri, denti da coniglio. E poi le code! Avevano code grandi come piume gonfie e noi cercavamo di accarezzarle, convinti che avremmo toccato la cosa più soffice al mondo. Ma loro erano svelti e, come bravi inglesi, proteggevano soprattutto la loro privacy, e così mai uno di noi riuscì a toccarli. Vivevano sugli alberi e quando ci fu la grande tempesta nessuno pensò a loro, e ora se ne vedono pochissimi. Mi chiedo che fine abbiano fatto».

Mrs Draper continuò a raccontare storie su Battersea e poi su Wandsworth, ma per Rosie era chiaro che il pensiero degli scoiattoli della sua infanzia non la lasciava. Infine, disse a Rosie che sarebbe scesa all'ultima fermata prima di attraversare il fiume. Rosie la ringraziò promettendole che se mai avesse scoperto il destino dei suoi scoiattoli, l'avrebbe rivista sul 345 per finire la loro storia, a patto che Mrs Draper portasse un altro pacchetto di caramelle. Mrs Draper accettò divertita, il sorriso di nuovo sulle labbra. Mentre Rosie si alzava per farla passare nel corridoio, la signora le porse formalmente la mano. «Patto fatto» le disse, si scambiarono sorrisi e Rosie si fece da parte per lasciarla passare.

Tornando al suo posto, Rosie vide il quaderno aperto alla pagina di Burt. Era rimasta a cinque fermate, ma non si dispiacque più di tanto. Girò la pagina e iniziò a disegnare occhi, denti e code. Tante, tante code.

3

BABYSITTER
A QUATTRO RUOTE

Fu così che Rosie, dopo quella volta, passò lunghe giornate al secondo piano del 12 o del 345. Il suo papà le aveva raccontato la storia degli autobus rossi a due piani di tutto il mondo. Anche se ormai erano diventati un simbolo di Londra e dell'Inghilterra quanto il Big Ben e la Regina, gli autobus erano infatti nati a Parigi tantissimi anni prima e, all'epoca, erano trainati da cavalli.

Il suo papà conosceva molto bene quella storia. Quella, e moltissime altre. Quando Bruno era arrivato a Londra, qualche anno prima che nascesse Rosie, si era iscritto a una scuola di inglese. Ma presto si era accorto che i soldi che aveva risparmiato stavano finendo in fretta. Aveva bisogno di guadagnare e mettere in pratica quel poco di inglese che era riuscito a imparare, e così aveva trovato lavoro prima come lavapiatti e poi come cameriere. Nelle pause tra un turno e l'altro si rifugiava in una delle tante biblioteche pubbliche della città dove leggeva riviste e libri che parlavano del suo paese adottivo. Oltre a migliorare il vocabolario, quindi, si era ritrovato ad attingere a una miniera infinita di fatti strani e inaspettati. Come gemme preziose, amava scoprirne una, lucidarla un po' e poi presentarla a sorpresa.

Brenda, sua moglie, si era ormai abituata alle sparate del marito che iniziavano sempre con "Scommetto che non sai...", o "Non indovineresti mai...", ma per Rosie quelle informazioni erano ancora pietre luccicanti e fascinose da tenere al sicuro. Non scordò mai, per esempio, quella volta in cui suo padre le disse che, tra autobus a doppio piano, Big Ben e Regina, l'unica ad avere origini davvero inglesi era quella grossissima campana in cima alla torre del Parlamento. In più, le raccontò, Big Ben era solo la campana, non la torre e neppure l'orologio, come molti credevano. Chinandosi verso di lei per sussurrarle nell'orecchio e guardandosi attorno per controllare che nessuno potesse sentire, il suo papà le aveva anche detto: «Il vero nome dei reali non è Windsor, ma Saxe-Coburg-Gotha. Sono una famiglia tedesca che ha cambiato il cognome durante la Grande Guerra, per dare meno nell'occhio. Attenta a chi lo dici, ad alcuni non piace ricordarlo, ma è vero lo stesso». E poi, rialzandosi, le aveva raccontato la storia degli autobus.

I parigini li chiamavano "omnibus" e, nei primi tempi, il piano superiore non aveva il tetto. Quando pioveva

i passeggeri si bagnavano, e per questo il loro biglietto costava meno di quelli del primo piano. Gli omnibus a due piani arrivarono poi ai londinesi, che li dipinsero di rosso e furono i primi a sostituire i cavalli con motori veri e propri e ad aggiungere il tetto, perché, come diceva il suo papà, "a Londra la siccità non è un problema pressante, né d'estate né d'inverno".

Rosie aveva il suo posto, al secondo piano, vicino alla telecamera di sorveglianza. Dal piccolo schermo nella cabina, il papà o la mamma potevano tenerla d'occhio e lei si sentiva al sicuro più che con una babysitter. Talvolta Rosie sollevava il foglio su cui aveva fatto un disegno, certa che il papà o la mamma potessero vederlo, e sorrideva alla telecamera.

Quando non era in vena artistica e non c'erano vecchietti simpatici con cui scambiare due chiacchiere, Rosie si lasciava intrattenere dallo spettacolo che le si svolgeva attorno: invece di un televisore o di un tablet, infatti, Rosie aveva una quarantina di finestre da cui osservare la città e le conversazioni di mezzo mondo da ascoltare. I passeggeri cambiavano a seconda dell'orario. Al mattino presto arrivavano i manovali con le loro tute da lavoro e, spesso, i loro attrezzi. Poi li sostituivano donne e uomini dai vestiti ben stirati. Poi arrivavano i genitori che accompagnavano i bambini all'asilo e a scuola, e molti studenti.

Dopo le nove del mattino l'autobus si svuotava. A volte Rosie era la sola passeggera al secondo piano; le sembrava di essere la copilota dell'autobus, assieme al suo papà o alla mamma. Ma durava poco: verso le dieci arrivavano i vecchietti, le mamme con bambini in carrozzella, gli studenti stranieri, e i *tramp*, persone che non avevano una casa e che approfittavano dei doppi sedili a panca e del calduccio del primo piano per ripararsi dal freddo, riposare e dormire un po'. Nel pomeriggio ritornavano, a turno, gli studenti, stavolta sulla via del ritorno, tutti un vociare, vecchietti silenziosi e impiegati stanchi e frettolosi di tornarsene a casa. Certe volte salivano ubriaconi o drogati. Il papà o la mamma indicavano loro i posti liberi al primo piano, per evitare così che sbandassero e cadessero per le scale e soprattutto per tenerli lontani da Rosie.

I passeggeri avevano anche modi di fare diversi, a seconda della fermata. Quelli che salivano al capolinea salutavano l'autista che, a sua volta, ricambiava, e durante il viaggio scambiavano qualche parola tra loro o commentavano le notizie del giornale gratuito. I giamaicani e gli italiani erano rumorosi, gli inglesi invece parlavano a voce bassa. I saluti all'autista finivano appena l'autobus entrava nel centro di Londra, subito prima di attraversare il Tamigi. Da quel punto in poi i passeggeri non parlavano più tra loro, ma salivano e scendevano silenziosi o irritati. Tutto diventava veloce e brusco. Ma non appena ci si allontanava di nuovo dal centro in direzione del capolinea opposto, il chiacchiericcio e lo scambio dei saluti riprendevano.

A Rosie piaceva guardarsi intorno e osservare, ma preferiva di gran lunga chiacchierare con gli altri passeggeri, sentire i loro racconti e aggiungerci i propri. Si divertiva quando le sue storie sorprendevano la gente, soprattutto i turisti caraibici e gli italiani. Lei aveva capelli a ricci fitti fitti, labbra carnose, ma meno tonde di quelle della mamma, e occhi tra il castano e il verde. Qualcuno aveva difficoltà a descrivere il colore della sua pelle, che era un misto tra i colori africani della madre e quelli dell'Italia del Sud del padre, ma con grande serietà Rosie definiva il proprio colore "nocciola", come il suo gelato preferito. Però, il problema si poneva di rado, in genere i londinesi non ci facevano caso, erano tutti un po' misti. Solo i turisti, a volte, facevano fatica a capire chi fosse quella bambina di nove anni che considerava il piano superiore dell'autobus come casa sua, parlava l'inglese benissimo, l'italiano con l'accento di Palermo e il *patois* giamaicano. A Rosie questo piaceva moltissimo, la faceva sentire speciale!

Tuttavia, il salotto che si formava attorno alla bambina a volte creava un problema imprevisto. I passeggeri scendevano e, invece di uscire zitti zitti e in fila dall'autobus, si avvicinavano all'autista per fargli i complimenti per quella bambina simpatica e ben educata al piano superiore. E così, a ogni fermata, il bus ritardava di qualche minuto. L'autista del cambio turno, spazientito, li aspettava aggrottato, ma gli si apriva un sorriso non appena vedeva Rosie scendere, la mano in quella del papà o della mamma. Tra gli autisti si era sparsa la voce sull'insolita organizzazione domestica di Brenda e Bruno, e Rosie era diventata una specie di mascotte per l'autorimessa di Peckham.

Soltanto una persona non era contenta dei viaggi di Rosie al secondo piano: nonna Nina. Quando il papà le raccontava su Skype le loro avventure in autobus, lei aggrottava la fronte come una prugna secca e lo rimproverava: «Non mi interessa sentire che a Londra la gente non disturba i bambini, e che tu la tieni d'occhio. È pericoloso lasciare la *picciridda* sola sull'autobus, e per giunta al piano di sopra, mentre tu guidi!». Poi la nonna cercava il volto di Rosie sullo schermo e, quando lo individuava, sollevava la mano, come se potesse darle una carezza, «Tu, *nica* mia, sei davvero speciale!».

4
ATTENTI AL COCCODRILLO

DURANTE LE VACANZE SCOLASTICHE Bruno studiava la lista dei percorsi settimanali facendo particolare attenzione a quelli il cui capolinea era vicino a luoghi dove gli sarebbe piaciuto portare Rosie. Londra aveva tanti musei e l'ingresso era gratuito. I musei gli piacevano e, soprattutto, erano un buon modo per scappare dal freddo e dalla pioggia. Così, quando scendevano dall'autobus, lui le metteva un braccio attorno alle spalle e diceva: «Non è proprio un clima tropicale, oggi», poi le sistemava sciarpa, cappotto e cappello. Un giorno, con la voce eccitata e gli occhi che gli brillavano, le chiese: «Lo vuoi vedere un coccodrillo... volante?», e si avviarono verso il British Museum, dove in effetti nell'angolo del frontone che sovrasta l'edificio si intravede il muso dentato di un rettile, pronto a lanciarsi sui visitatori ignari. Bruno e Rosie entrarono nel museo badando di stare bene alla larga dal rettile minaccioso, e, finché non furono all'interno, Rosie non lo perse di vista un attimo.

Per Rosie quei vecchi musei e quelle gallerie non erano il massimo del divertimento, ma a volte le trovate del suo papà alleggerivano le visite e, in qualche modo, gliele facevano amare. Una volta rimasero quasi un'ora alla National Gallery: la missione speciale di Rosie era scoprire un teschio nascosto in un quadro. Guardava quadri di battaglie, ritratti di guerrieri, paesaggi e chiese. Vedeva mendicanti moribondi, guerrieri decapitati, draghi, ma nessun teschio. Alla fine suo padre la portò davanti a un dipinto che raffigurava due uomini dai volti seri, con le gambe magre e gonne ampie come le sottane di una volta. A prima vista non sembrava nulla di speciale: due uomini antichi e vestiti da carnevale, in piedi e appoggiati

a una credenza disordinata, piena di rotoli di carta, strumenti scientifici, mappamondi e uno strumento a corda. I due guardavano dritto dritto negli occhi della gente che passava davanti al quadro, con aria un po' infastidita. Doveva essere per via di tutta quella gente nella stanza del museo, pensava Rosie. «Lo vedi?» le chiese suo padre, puntando il dito su una strana macchia sul pavimento dipinto nel quadro, e mentre a Rosie stava per uscire un "No" dalle labbra, lui la prese sotto le braccia e se la mise sulle spalle. Poi, facendo due passi alla destra del quadro per osservarlo di lato, ripeté: «E adesso lo vedi?». A quel punto il no divenne un «Niii!». Il quadro cambiava, lentamente, e la macchia prendeva la forma di un teschio. Poi Bruno la fece accucciare in basso dall'altro lato della grande cornice, la testa che quasi toccava il parquet, così da osservare la macchia, sempre in diagonale, ma stavolta dal basso verso l'alto, e la magia che l'artista aveva intrecciato nella tela emerse di nuovo. Soltanto da quelle due posizioni l'immagine dipinta si trasformava in un oggetto riconoscibile. Il miracolo della prospettiva! Avevano trovato il teschio!

«Ma perché?», Rosie voleva saperne di più.

«Non lo so, magari il pittore voleva darsi un po' di arie...» rispose il padre. E poi aggiunse: «Oppure voleva ricordare a chi guardava il quadro che i due uomini, anche se ricchi, sarebbero morti come tutti».

«O forse era una minaccia segreta per una donna molto alta e per un nano?» disse Rosie.

«Magari sì, oppure il quadro era stato commissionato per essere esposto al fianco di una grande scalinata... chissà» commentò il papà, scuotendo la testa. Ma Rosie non lo ascoltava più. Stava già pensando a come avrebbe raccontato in classe la storia del quadro con l'immagine segreta.

5

VACANZA D'EMERGENZA

MANCAVANO ANCORA quattro settimane al-
l'inizio delle vacanze estive. Da qualche mese
a Londra si parlava molto del referendum, una vota-
zione speciale con la quale si chiedeva ai cittadini se la
Gran Bretagna dovesse rimanere nell'Unione Europea,
oppure no. Rosie non capiva bene cosa fosse, questo
referendum. La settimana precedente, durante la ricre-
azione, alcuni dei suoi compagni si erano divisi in due

squadre di calcio e, invece di chiamarsi Real e Atletico come avevano fatto nelle ultime settimane dopo la Finale di Champions, una entrò in campo per il *Brexit* e l'altra per il *Remain*. I ragazzini che facevano il tifo urlavano: "Avanti, Brexit!", e "Forza, Remain!" con lo stesso trasporto con il quale avevano incoraggiato le squadre spagnole fino a qualche giorno prima. Rosie non capiva il significato di quei nomi, ma preferiva di gran lunga il suono dinamico del *Brexit* a quello funebre del *Remain*. Tuttavia, giacché non era coinvolta nella partita, Rosie non se ne era interessata più di tanto. E poi, come sempre, la squadra vincente era quella nella quale giocava Montaz, e in pochi giorni furono ripristinati i nomi più usati nelle scuole della capitale: Chelsea, Arsenal, Tottenham e Palace, e del *Brexit* o del *Remain*, a St. Mungo, non si sentì più parlare.

Una domenica, verso la fine del mese, i Giuffrida-Watson si godevano una prima colazione pigra e appetitosa: frutti di mango freschi e *pastel de nata* ancora caldi e croccanti, annaffiati con tè (per la mamma) e caffè (per il papà). Brenda, quella mattina, si era alzata presto ed era andata a fare la spesa tra le bancarelle e i chioschi attorno alla stazione di Peckham. Aveva sperato di trovare i cornetti caldi per Bruno e il pane bianco giamaicano che, tostato e coperto di fette di banana e burro fuso, piaceva tanto a lei e a sua figlia. Il suo panettiere, però, era chiuso per ferie quindi si era avviata verso l'interno del mercato in cerca di alternative. In un panificio brasiliano aveva trovato i *pastel de nata*, di cui Bruno era ghiotto quasi quanto lo era di cornetti, e, da un fruttivendolo indiano poco lontano, aveva acquistato a buon prezzo tre mango maturi di colore giallo fiammeggiante senza alcuna traccia di verde, e dal profumo intenso. Mentre li infilava in un sacchetto, il signore sotto il turbante si era raccomandato: «Li mangia oggi, vero? Li sprema con le mani, poi faccia un buco nella scorza: si beve il succo e poi si succhia la polpa. Così». E prima che Brenda avesse avuto il tempo di controllare il resto e di rimettere in borsa il portamonete, il signore aveva preso un mango dal banco, l'aveva spremuto con forza in una mano, con il pollice l'aveva bucato e poi si era fatto colare il liquido in bocca.

A casa, dopo avere raccontato la storia a Bruno e Rosie, Brenda si era trovata davanti marito e figlia luridi, appiccicosi e ridenti, pronti per la seconda doccia della mattinata. Mentre figlia e marito si lavavano, Brenda rimase seduta al tavolo e sola nella cucina di nuovo avvolta nella quiete; allungò le gambe sulla sedia lasciata vuota dal marito e finalmente sorseggiò il suo tè. Poi mangiò una delle tartellette ripiene di crema gialla che erano rimaste intonse nella fretta di partecipare al gioco delle fontane di mango. Dal bagno proveniva ancora il rumore dell'acqua della doccia e Brenda si alzò per prendere la borsa di scuola di Rosie e leggere le circolari ai genitori che gli insegnanti davano agli studenti da portare a casa ogni venerdì.

E così, mentre poco dopo Bruno entrava in cucina con un asciugamano rosa attorno alla vita, lei lo investì in tono indignato: «La vuoi sapere l'ultima? Giovedì St. Mungo è chiusa per questo maledetto referendum. Come se fosse un'elezione vera e propria! Non potevano farlo per posta!? E come facciamo con Rosie?».

«Già pensato» disse Bruno, mentre sua figlia gocciolava dietro di lui avvolta in un accappatoio a strisce con un metro di strascico, «Rosie me ne ha parlato mentre eri fuori. Il giorno di chiusura è un giovedì». Il giovedì, ricordò Bruno a sua moglie, avevano entrambi quattro ore libere tra la fine del turno mattutino di lei e l'inizio di quello serale di lui. Quindi, se lui e Rosie fossero saliti sull'autobus di Brenda verso mezzogiorno, sarebbero arrivati tutti assieme in centro all'ora di pranzo e avrebbero

potuto fare un bel picnic al parco di St. James. Poi, rivolgendosi a Rosie che si allungava da dietro di lui per raggiungere le tartellette rimaste sul tavolo, aggiunse: «Un parco molto famoso per via degli scoiattoli che vi abitano. Si dice siano i più socievoli di Londra».

6
SUL 12 IN TRE

L E SETTIMANE PASSARONO VELOCI e presto arrivò il giorno del famoso referendum. Quella mattina Rosie aveva fatto colazione con il papà. Purtroppo la mamma diceva di non ricordare dove aveva comprato quei mango così buoni, ma nel frattempo il panettiere era tornato dalla sua vacanza e così si erano accontentati senza grande difficoltà di pane e banane, con l'aggiunta del tocco speciale del papà: la mitica crema di nocciole. Poi erano andati a prendere l'autobus 12, guidato dalla mamma, che si era alzata prima dell'alba per andare a lavorare. Il papà indossava gli abiti da lavoro: il suo turno sarebbe iniziato subito dopo la loro gita al parco di St. James.

Alla fine del suo turno a Lambeth, dove fu sostituita, la mamma li raggiunse al secondo piano. Schioccò un gran bacio sulla fronte di Rosie e, passando lo zaino da lavoro a Bruno, disse: «Oggi le strade sono libere, pochi lavori in corso e poco traffico, ci metteremo non più di un quarto d'ora!» Estratta la trousse dalla borsa, si dedicò al trucco: quando non era in servizio, le piaceva avere le ciglia spesse di mascara e un rossetto luccicante sulle labbra dal profumo pastoso di mela verde. Rosie, fiera della sua bella mamma, era beata. Non si era accorta che i suoi genitori non si erano scambiati nemmeno una parola.

Il numero 12 avanzava lungo Westminster Bridge Road ed era appena sbucato dall'ombra del groviglio di ponti ferroviari che portavano alla stazione di Waterloo.

La mamma si rimise gli occhiali da sole e poggiò la mano sulla spalla di Rosie. «Guarda a sinistra, lo vedi quel grande edificio? È l'ospedale di St. Thomas. È stata Florence Nightingale a fondarlo e proprio lì ha creato la prima scuola moderna per infermiere» le disse; poi, sollevando gli occhiali da sole per guardarla direttamente, aggiunse: «La tua nonna, nonna Maude, ha studiato lì ed è diventata una delle prime giamaicane a conseguire il diploma di infermiera e a diventare caporeparto!!». La mamma carezzava la guancia di Rosie, e mormorava: «Chissà che lavoro vorrai fare tu da grande!».

Fu interrotta dal papà: «E questo palazzone a destra era il Municipio di Londra!» e, con un sospiro, aggiunse: «Adesso invece è un albergo di lusso». Poi, recuperando l'entusiasmo, «Ma lo vedi quel leone che sembra pronto a saltare e raggiungerci quassù? Il vecchio Burt lo chiama ancora il Leone Rosso Sbronzo».

«Perché?» chiese Rosie fissando incuriosita la maestosa scultura in pietra bianca.

«Burt dice che, prima di metterlo lì, il leone era il simbolo di una grande fabbrica di birra che fu demolita dopo la guerra».

«E perché "Rosso"?»

«Perché, sempre secondo Burt, poi per una dozzina d'anni il leone fu messo a fare la guardia davanti alla stazione di Waterloo e così fu dipinto del colore delle ferrovie. Solo prima di portarlo qui gli tolsero la vernice per farlo tornare come era nato».

Un po' infastidita dalle storie inutili di suo marito e del vecchio Burt, Brenda mise un braccio attorno alla figlia e ripartì alla carica: «Ti piacerebbe fare l'infermiera? O magari il dottore. Forse il chirurgo?».

C'era un ingorgo sul ponte e l'autobus si muoveva a rilento. Rosie si godeva il panorama dall'alto. Le piaceva guardare il flusso lento del Tamigi e, sull'altra sponda, dirimpetto all'ospedale, Westminster Palace, il palazzo del Parlamento, tutto pennacchi e torrette. Si aspettava di sentire la voce di suo padre raccontare qualcosa, ma per qualche minuto ebbe soltanto il rombo dei motori per compagnia. Poi, con un'accelerata improvvisa che costrinse i suoi genitori a incrociare gli sguardi per un attimo, il 12 riprese ad avanzare, lento lento.

Fu il papà a rompere il silenzio per primo: «Guarda a destra, Rosie, sull'altra riva, la statua di bronzo della regina Boadicea!» e le strinse il braccio. «Assieme alle sue figlie, sul carro di guerra! Quando i Romani vennero per civilizzare l'Inghilterra, la regina non ne volle sapere di loro. Avevano ucciso suo marito e maltrattato lei e le sue figlie! Allora Boadicea condusse il suo esercito in battaglia e fu lì lì per sconfiggere i centurioni dell'Impero!»

Rosie lo ascoltava, gli occhi fissi sulla donna in piedi sul carro con la lancia in mano e le due figlie ai suoi piedi aggrappate ai bordi. «Duemila anni fa, una regina andava in guerra alla testa del suo esercito di uomini, come un generale!» Rosie si girò verso il papà, che continuava: «Alla fine, Boadicea ebbe la peggio e preferì avvelenarsi anziché arrendersi e diventare prigioniera dei Romani». La bocca di Rosie si piegò all'ingiù. «Non tutte le storie hanno un lieto fine» concluse il padre.

«Avranno anche avuto una donna, a capo dell'esercito» intervenne la mamma, «però poi ci sono voluti altri mille e novecento anni perché a una donna facessero guidare un autobus come questo. Phyllis Thompson, quella sì che era una vera eroina!».

L'autobus aveva ripreso un'andatura spedita. Il Big Ben e Downing Street erano ormai alle loro spalle. Il padre le acchiappò la mano. «Rosie, stiamo per arrivare! Saluta Florence, Boadicea e Phyllis e dài il benvenuto a St. James, il santo protettore degli scoiattoli e delle loro code». La mamma lo fulminò con uno sguardo così severo che si notava perfino da dietro gli occhiali da sole.

7

A CAVALLO
VERSO ST. JAMES

ERANO SCESI alla fermata di Whitehall. Rosie
dava la mano ai genitori; il trio passava sotto gli ar-
chi di Horseguards e sbucava su Parade Ground, il largo
spiazzo ricoperto di ghiaia dove la cavalleria della regina
faceva le sue parate.

Senza accorgersene, tutti e tre cominciarono a fare
passi più lunghi, schiena dritta e spalle indietro. Pian piano, calava dentro di loro una calma contentezza. «Qui

Sua Maestà ispeziona la cavalleria!» disse la mamma e, sorridendo per la prima volta da quando era scesa dall'autobus, annunciò: «Tutti al galoppo!». Pugni in avanti e sedere in fuori, i tre presero a saltellare come i cavalli delle guardie. Il papà si fece prendere un po' troppo dal gioco e iniziò a nitrire, virando a destra e a sinistra come se il suo cavallo si impennasse sotto di lui. «Attenti, attenti, zoccoli volanti!» gridava, «attenzione... fatevi da parte!» e virava tra Rosie e Brenda dando leggere spallate dalla sua bestia maldestra. Rosie rideva di gusto. Brenda pure, ma poi, con tono di rimprovero, esclamò: «Bruno, sei una vergogna per l'uniforme, ricordati che sei un conducente degli autobus rossi del Regno di Sua Maestà!». Ridacchiando e stando al gioco, lui le rispose: «Hai ragione, Brenda, mi sono lasciato trascinare per un attimo. Chiedo perdono, ma il mio cavallo è impaurito alla prospettiva di incontrare così tanti scoiattoli. Sai, gli scoiattoli, per gli equini, sono come i topi per gli elefanti». Detto questo, tirò le redini e rallentò il passo, poi raddrizzò il cammino. «Cavalleria, avanti!» ordinò. «Al trotto!» e i tre entrarono nel parco saltellando.

All'entrata del parco, sulla sinistra, c'era una casetta dalle pareti gialle e dal tetto a falde che sembrava uscita

dalle pagine di una fiaba. Brenda guardava con attenzione l'orto sul retro, zeppo di piantine di verdure diverse, piantate in trincee e filari, mentre Rosie osservava con una certa ammirazione un airone che passeggiava disinvolto sopra i fiori di un'aiuola recintata. Riassumendo il contenuto della targa che aveva appena finito di leggere, Bruno annunciò che si trovavano davanti al cottage dell'Isola delle Anatre, l'abitazione del Custode degli uccelli del parco, costruita per l'appunto sulla sponda del lago, dove una larga lingua di terra lo divideva creando due pantani ricchi di nutrimento per gli uccelli acquatici. E mentre Bruno continuava a elencare i momenti più notevoli della storia del parco, alcuni pellicani tuffavano testa e collo nell'acqua e riempivano il gozzo di pesciolini che deglutivano voraci in un baleno. I cigni li osservavano disgustati, mentre le oche e le anatre non li degnavano nemmeno di uno sguardo. Rosie e Brenda non potevano che ammirarli mentre le parole di Bruno andavano perse nell'aria.

Finita la lezione, la famiglia prese a camminare intorno al lago, dirigendosi verso il ponte. Il parco era incantevole, gli alberi in piena fioritura, il prato tagliato di fresco. Dai fiori si sprigionavano infiniti profumi. I sentieri non erano delimitati da transenne e da ogni parte si poteva entrare nel prato e avvicinarsi agli alberi: querce dalla chioma enorme, alti ippocastani rigogliosi e platani con tronchi grossi da sembrare giganti avvolti nella carta marroncina e maculata che la nonna Nina ogni anno usava per costruire il presepe.

Gli occhi di Rosie guizzavano a destra e a sinistra, in alto e in basso, alla ricerca degli scoiattoli. Ma di scoiattoli non ne avevano ancora visto nemmeno uno. I tre fecero una sosta dal venditore di noccioline, un vecchietto dalla pelle rugosa, che esponeva la sua merce su una bancarella portatile. Rosie gli si avvicinò, e chiese: «Lei lo sa perché non ci sono scoiattoli in giro?».

«Non saprei dirti, da qualche settimana se ne vedono sempre meno», rispose lui, e poi aggiunse: «Venivano ai bordi dei viali a prendere le noccioline dalle mani dei turisti. Ultimamente però i turisti scarseggiano, e gli scoiattoli non si fanno quasi più vedere. Sono preoccupato. Per me è tutta colpa di questo referendum. Ne siamo stufi noi e ne sono stufi loro. Meno male che oggi si vota e poi non se ne parla più».

«In effetti» intervenne la mamma di Rosie, «pare davvero che non si parli d'altro. Ma se vince il *Leave*, io, anche se sono suddita della Regina con tanto di passaporto britannico, me ne torno da mia madre. Quelli, qui, non ci vogliono. E se non ci vogliono, si possono trovare un'altra autista per il numero 12».

«Non è proprio così, Brenda» rispose il marito, «sono quelli come me che loro non vogliono. Le regole per voi del Commonwealth non cambieranno, siamo noi europei che dovremo guardarci le spalle, e sarà il 345 a doversi trovare un nuovo autista. E comunque, se dobbiamo spostarci, l'Italia è meglio della Giamaica, non ti pare?».

«No, no» lo interruppe il venditore di noccioline, «tutto questo non ha niente a che fare con voi, brava gente di qui: ormai siete londinesi come me. Quelli che non vogliamo sono quelli che vengono per approfittare del nostro *welfare*, della nostra sanità e delle nostre scuole pubbliche.

Questi fannulloni si registrano nelle liste d'attesa per ottenere una casa popolare e tolgono il posto a chi è già qui da generazioni. Siamo un'isola, siamo già in tanti, dove li metteremo? Non c'è spazio per tutti». Il vecchietto si era accaldato, la sua faccia era diventata rosa come una fetta di prosciutto cotto e dovette riprendere fiato. «Quelli non saranno più ammessi. In più, bisogna riprendere il controllo della nostra indipendenza, sì, è così... e... non ne possiamo più di essere governati da Bruxelles... leggi inglesi per cittadini inglesi... è ovvio, no?» Rosie lo guardava perplessa, sembrava voler convincere se stesso ancor prima degli altri. Ma cosa aveva a che fare tutto questo con noccioline e scoiattoli? E poi, da quando mamma e papà pensavano di lasciare Peckham e la St. Mungo?

I genitori di Rosie iniziarono una discussione accesa sui meriti dei rispettivi paesi nativi condita con una buona dose di battute taglienti. Infine, Bruno cercò di calmare gli animi: «Brenda, è inutile che litighiamo, tanto vincerà il *Remain* e rimarremo nell'Unione. Il popolo di queste isole proviene dall'Europa. Gli Anglosassoni discendono dalle tribù germaniche con radici nell'attuale Olanda, mentre i Normanni, che sono arrivati qui subito dopo di loro, erano nativi della Scandinavia trasferitisi in Francia. Per non parlare poi dell'attuale famiglia reale».

Tuttavia il suo tentativo non andò a buon fine. Brenda gli rispose con una scarica di parole: «Bruno, allora non capisci proprio niente degli inglesi! Sei qui da più di un decennio e riesci a vedere soltanto la loro storia, e pensi che siano tutti come i londinesi. Non è affatto così. Io ci sono nata, qui, e ti posso assicurare che per tanti, in questo paese, tutto ciò che è diverso fa paura. Appena vedono qualcuno che si distingue anche un minimo dal gruppo, lo guardano con sospetto, e alla prima occasione gli danno colpe che non merita e lo trattano come un essere inferiore. Te le sei dimenticate le storie che racconta sempre mia madre? O forse non le hai mai nemmeno ascoltate?».

Avrebbero potuto continuare così per un bel po', Rosie lo sapeva bene, ma fortunatamente per tutti, si intromise il venditore.

«Signori, sapete che faccio?» disse, togliendosi il grembiule e chiudendo il coperchio della bancarella. «Chiudo tutto e me ne vado a casa a portare la mia vecchia mamma a votare prima che i seggi siano troppo affollati».

I Giuffrida-Watson tacquero. Entrambi col volto arrossato, la fronte sudata.

Prima di andarsene, il venditore prese un pacchetto di noccioline e lo offrì a Rosie. «Tieni, è un regalo, e se trovi qualche scoiattolo digli che è da parte mia».

8
PATTIES CONTRO PANZEROTTI

ROSIE CAMMINAVA con le noccioline in mano; i genitori la seguivano, muti e un po' distanti l'uno dall'altro, diretti verso l'interno del parco a caccia di scoiattoli.

I battibecchi tra i due ripresero immediatamente, su tutto. Sul referendum, sul venditore di noccioline, persino su dove fermarsi per il picnic – sotto gli alberi faceva freddo, sul bordo del lago faceva troppo caldo, il cielo si stava rannuvolando... A Rosie non piaceva questo modo astioso di parlare e prese a camminare più spedita, allungando la distanza tra lei e i suoi genitori. Seguiva la sponda del lago e cercava gli scoiattoli, non era interessata a null'altro. Scrutava il prato, pronta a seguire con lo sguardo qualunque movimento tra l'erba. Concentrata, tendeva le orecchie per cogliere il minimo fruscio tra le foglie. Eppure non riuscì a scoprire alcuna traccia di quegli animaletti dalla coda soffice e vaporosa che tanto aveva sperato di incontrare. Chiuse bene il pacchetto di noccioline che aveva tenuto pronto in mano e lo spinse in fondo a una tasca. Possibile che avessero fatto tutta quella strada per niente?

I suoi genitori la raggiunsero e, attraversato il ponte, cercarono un posto adatto per il picnic. Dopo l'ennesima discussione su dove sarebbe stato meglio sistemarsi, i tre sedettero su una delle panchine di legno donate al parco in memoria di persone ormai scomparse. A Rosie piaceva leggere le iscrizioni delle targhette di bronzo e, seduta tra Brenda e Bruno, si voltò per leggere ad alta voce. «*In memoria del colonnello Turnbull che amava riposarsi qui per osservare le anatre*» c'era scritto. E lei immaginava un corpulento colonnello Turnbull dai baffi folti, impettito nell'uniforme ricoperta di medaglie al valore, circondato da decine di papere.

La mamma tirò fuori dallo zainetto una scatola di *patties* giamaicane che aveva infornato la sera prima e portato con sé per la gita.

«Panzerotti, che meraviglia!» esclamò il papà. Sembrava raddolcito. «No, Bruno, *patties*» lo corresse lei in modo brusco. «Ne vuoi una, o no?» chiese con voce dura.

Il papà e la mamma facevano a gara a chiedere a Rosie se si divertiva, se sentiva freddo e se preferiva le *patties* vegetariane o quelle con il baccalà. Uno dei due le faceva una domanda e, poco dopo, l'altro, come se non avesse sentito, ripeteva la stessa domanda, quasi a volersi accertare della genuinità della risposta. Tra loro, però, non si scambiavano nemmeno una parola.

Rosie teneva gli occhi fissi sul lago davanti a sé. Era triste. I grandi avevano la capacità di rovinare tutto. E poi anche di mantenere in vita un litigio molto più a lungo dei bambini. Nel caso dei suoi genitori, per esempio, a volte gli scontri potevano durare una giornata intera, per poi riprendere al mattino ancora più vigorosi. In quelle situazioni c'era ben poco da divertirsi, e, anche stavolta, Rosie fece ricorso alla classica scusa che ogni bambino conosce bene e che viene usata ogni volta che i genitori si comportano peggio di due seienni. Finite le ultime *patties*, mentre si dirigevano verso il Caffè al centro del parco per una fetta di torta, Rosie annunciò: «Devo andare in bagno».

Se fossero stati a casa, Rosie si sarebbe chiusa in bagno, avrebbe preso uno dei tanti fumetti che teneva accanto al gabinetto proprio per occasioni come quella e, leggendo, avrebbe lasciato dondolare i piedi in attesa che le acque, nell'altra stanza, si calmassero. La nonna Nina le diceva che il gabinetto era "la stanza del trono", e Rosie era d'accordo con lei. Con la porta chiusa a chiave, nessuno poteva infastidirla e lei poteva immergersi nella lettura.

Ma stavolta non era a casa e di fumetti non ne aveva portati. Così, con la scusa che il bagno era occupato, si diresse verso l'uscita sul retro del Caffè. Rosie spalancò la porta antincendio e saltellando con le treccine che danzavano nell'aria, puntò verso un gruppo di alberi particolarmente grandi. Forse lì, sperava, si nascondeva qualcosa.

Una volta stabilita la meta, decise di raggiungerla nella maniera più diretta, attraverso il prato. L'erba soffice sotto le scarpe la faceva rimbalzare e Rosie, slanciandosi con le braccia, cominciò a fare salti da atleta. Si congratulò con se stessa per avere seguito il consiglio del suo amico Montaz. Era stato lui a dirle che, sostituendo i lacci delle scarpe con filo elettrico, si corre più veloce. A casa, nella cassetta degli attrezzi, ne aveva trovati due pezzi della giusta lunghezza: uno blu e uno rosso. Aveva tolto i lacci bianchi e aveva messo alla scarpa destra il filo rosso e alla sinistra quello blu, allacciandoli entrambi a X come li portava quel razzo di Montaz. E in effetti quel giorno si sentiva andare molto più veloce, e persino saltare più in alto. Peccato che non avesse trovato abbastanza filo rosso per tutte e due le scarpe: i salti che partivano con il piede destro le sembravano più lunghi degli altri.

Ma poi, all'improvviso, Rosie inciampò e sentì l'odore dell'erba un po' troppo forte e un po' troppo da vicino.

9
IL CUSTODE IN CANOA

IL CUSTODE DEGLI UCCELLI aveva passato la mattinata in canoa, visitando i nidi delle anatre e delle oche che ogni anno covavano le loro uova tra le canne ai bordi del lago. Come al solito, gli stormi migratori erano arrivati in primavera, ma sembrava che quest'anno non avessero nidiato a St. James. Il lago di Hyde Park, invece, era sovraffollato di nidi e file di anatroccoli. Ma lui, dovunque ormeggiasse la sua canoa, trovava nidi abbandonati e, in alcuni casi, gusci rotti.

Preoccupato, il Custode degli uccelli era tornato con una lunga scala per controllare alcuni alberi attorno al lago, dove gli aironi tornavano ogni anno per covare le loro uova. Lassù in alto aveva visto che la maggior parte dei nidi era ancora in stato di abbandono. D'inverno gli aironi partivano verso climi più caldi e i nidi venivano trascurati, lasciati spogli ed esposti al vento e alla pioggia. In primavera, però, tornavano e prima di tutto si occupavano di ripristinare quegli stessi nidi che avevano lasciato l'anno precedente. Finalmente, in cima a uno degli ultimi alberi ispezionati, il Custode trovò un nido che era stato rinnovato con rami e muschio freschi. Si convinse che fosse solo una questione di ritardo stagionale e che di lì a poco il lago sarebbe scoppiato di vita e attività, e scese per la scala con rinnovato buon umore. Ma non appena posò lo stivale a terra sentì un leggero *crack* sotto il piede. Alzando lentamente lo stivale trovò pezzettini di guscio frantumati e sentì l'odore acidulo dell'albume marcio. Chiuse la scala di scatto e riprese la canoa per fare un giro dell'isola dove i pellicani facevano i loro nidi.

Avvicinandosi alla riva, alcuni dei maschi gli si erano fatti subito incontro, ma invece di aprire i becchi in attesa di cibo, distendevano le ali e davano l'allarme con grida aspre e acute. In poco tempo, davanti alla sua canoa si erano creati un muro di ali bianche e un coro che attirava l'attenzione dei passanti su entrambe le sponde del lago. Sentendosi all'improvviso minacciato e contando di fretta i pellicani per assicurarsi che la colonia fosse al completo, il Custode riprese a remare all'indietro e fece ritorno alla sua casetta gialla. Tornato sulla terraferma, ma assai preoccupato per le scoperte che aveva fatto quel mattino, entrò in casa giusto il tempo per prendere qualcosa da mangiare, e poi uscì di nuovo nel parco per trovare un posto tranquillo e cercare di capire cosa stava succedendo a St. James.

Fu proprio in quel momento, mentre era seduto a terra all'ombra di un albero a gambe distese, che una bambina saltellante inciampò nel suo stivale e si trovò anche lei distesa, più malamente, sul prato. Per la seconda volta in quella giornata, il Custode si sentì a disagio. Scapolo, con trent'anni in Marina alle spalle e quasi altrettanti nel parco di St. James, non sapeva come reagire dinanzi alla bambina che si era buttata a terra davanti a lui e che, da quanto poteva vedere, non aveva genitori nei paraggi. Mentre Rosie si alzava spazzolando via fili d'erba dalle ginocchia impiastricciate di verde, si alzò anche lui e le porse la mano, con un pacchetto di patatine aperto: «Ne vuoi una?».

Se Rosie fosse stata una bambina meno curiosa, l'offerta del Custode l'avrebbe lasciata perplessa se non preoccupata. Certo, anche a lei era stato insegnato di non accettare nulla da un estraneo! Ma i viaggi in autobus l'avevano preparata bene. Dopo tutte le caramelle di Mrs Draper, i suoi genitori le avevano proibito di accettare dolci da estranei, ma in cambio le avevano permesso di accettare patatine, che secondo loro erano meno dannose per la sua salute e per i suoi denti. Così Rosie si era fatta una cultura sui tantissimi sapori che l'ingegnosità britannica aveva affibbiato all'umile patata. Oltre ai classici "semplicemente salato", "sale & aceto" e "formaggio & cipolla" aveva avuto l'opportunità di assaggiare "pollo arrosto", "roast beef & mostarda" e "curry". Le amava tutte, le patatine, anche se non riusciva mai a connettere il gusto scritto sul pacchetto con il sapore in bocca. Di solito, anche chi gliele offriva era dello stesso parere. Aveva per esempio constatato, con l'aiuto dei passeggeri che salivano e scendevano, che "pollo arrosto" era in realtà cartone; "roast beef & mostarda" era toast bruciato e "curry" non era altro che sapore di vecchie scarpe da ginnastica. Ma "cocktail di gamberi" le era del tutto nuovo e così Rosie accettò senza esitare l'offerta del Custode, che si sentì immediatamente rincuorato.

Rosie prese una patatina dal pacchetto rosa fluo, e guardò l'uomo con occhi curiosi. Alto e magro, portava una camicetta verde con una corona sul petto, pantaloni corti dello stesso colore dai quali sbucavano gambe sottili, tutte vene e muscoli che andavano a finire in stivali di gomma, apparentemente senza calze. "Curry piccante!" pensò Rosie.

«Scusami» disse il Custode, «sembra proprio che tu mi sia piombata addosso».

«Sono io che mi scuso. Stavo andando così veloce che non sono riuscita a evitarla, anzi non l'avevo nemmeno vista» rispose Rosie.

Offrendole un'altra patatina, che fu accettata senza esitazione, e con una certa ammirazione per quella bambina che si era rialzata senza nemmeno un lamento, il Custode le rispose riportando lo sguardo verso alcuni cespugli lontani. «E allora ci scusiamo entrambi perché nemmeno io ti avevo vista. Sono contento che tu non ti sia fatta niente».

Seguendo il suo sguardo e incuriosita da quel signore gentile si avvicinò e strinse gli occhi per vedere meglio. «Cosa c'è nei cespugli?» gli chiese, «io non vedo niente».

Allungando il braccio e indicando in basso a sinistra lui sussurrò: «Laggiù. Guarda dove si muovono le foglie».

Rosie seguì il tracciato indicato dal dito, e vide forme scure che si spostavano veloci tra luce e ombra. Appena gli occhi si furono abituati all'oscurità, tra le foglie finalmente individuò tre corpi pelosi e rossicci con musi appuntiti muoversi nell'ombra. «Volpi!» esclamò Rosie.

«Che occhio, signorina. Sei proprio sicura?»

«Sì» rispose Rosie, «ma che c'è di strano, i parchi di Londra ne sono pieni. Anche vicino casa mia a Peckham se ne vedono tante».

«Signorina» le disse lui a voce bassa e chinando un po' la testa, ma sempre mantenendo lo sguardo fisso davanti a sé, «che ci siano volpi nel parco è del tutto normale, quello che è straordinario è che le volpi siano sveglie e attive in pieno giorno. E questa, per me che sono il Custode degli uccelli del parco reale di St. James, è una situazione che va ben indagata. Si dà il caso che ultimamente nel parco succedano cose insolite. Solo stamane...».

«Lo so» lo interruppe Rosie, «noi siamo venuti proprio per i vostri scoiattoli e invece non se n'è visto neanche uno. È una grande delusione. Secondo me non sono così simpatici come tutti dicono...».

«Sì, ma questo non mi riguarda, Sua Maestà richiede che io abbia cura particolare dei sudditi alati del parco.

In più, gli scoiattoli grigi sono dei nuovi arrivati dall'America. I primi, furono regalati come ornamenti viventi da giardino all'undicesimo duca di Bedford soltanto un secolo e mezzo fa. Fu poi lui a portarli qui, per far divertire i visitatori di St. James. Con il passare delle stagioni, la colonia dei grigi si espanse sottraendo spazio agli scoiattoli rossi indigeni. Adesso sono dappertutto, nei parchi e nei boschi della città e del paese. Non come i pellicani, che sono arrivati dalla Russia quasi quattro secoli fa, anche loro come dono da parte di un ambasciatore, e che vivono soltanto in questo parco».

Mentre il Custode parlava, Rosie non perdeva di vista le volpi. Tenevano tutte e tre il muso verso il basso, Rosie non capiva cosa ci fosse lì, le foglie e le chiazze di luce e ombra la confondevano. Una volpe apriva e chiudeva la bocca come se stesse parlando, mentre le altre andavano e venivano da un cespuglio con la bocca piena di cibo, che posavano davanti alla prima. Concentrandosi ancora di più, Rosie vide che da sotto il cespuglio uscivano parecchi nasi e altrettanti musi, con lunghi baffi. Poco a poco, i musi divennero teste, poi zampe, corpi lucidi di pelo e infine lunghe code nude e pallide: un grosso contingente di ratti si affannava a divorare quel bendidio. Tutto questo sotto gli occhi della volpe che pareva guardarli benignamente. Anzi, a Rosie sembrava che stesse raccontando loro qualche storia. Rosie riferì tutto al Custode. «Sei sicura? Ratti e volpi... in amicizia...? Volpi che portano cibo ai ratti... Ci deve essere una ragione. Forse uno scambio, magari un patto... mai vista una cosa simile».

All'improvviso, il silenzio fu rotto da uno stridere rauco, la volpe parlante fece un balzo e, poco più su i rami del cespuglio si agitarono e due uccelli spiccarono il volo.

Mimetizzati tra le foglie dello stesso colore, i pappagalli dalle piume verde vivace erano volati via dal cespuglio e si dirigevano a grande velocità proprio verso gli alberi grandi che prima avevano attirato l'attenzione di Rosie, la quale non riusciva a staccare gli occhi dai due volatili, che ora volavano verso la quercia più lontana e si infilavano tra le foglie. Il suo papà le aveva raccontato che erano gli ultimi arrivati tra gli animali esotici in Inghilterra, venuti per stare in gabbie dalle quali ben presto erano scappati via. Rosie tornò a rivolgere lo sguardo ai cespugli; soltanto allora si accorse che il Custode si era allontanato da lei e marciava verso il lago a passi lunghi e decisi. Rosie lo salutò, ma quello non si girò nemmeno.

10
UN INCONTRO INSOLITO

ARRIVATA ALL'OMBRA DELL'ALBERO, Rosie si arrampicò su un ramo basso e fece dondolare le sue scarpe-lampo per raffreddarle e farle riposare. Visto che tuttora non si era vista nemmeno l'ombra di uno scoiattolo, Rosie chiuse bene gli occhi e aprì le orecchie. Anche il suo udito era diventato più forte. Dapprima sentiva le conversazioni dei passanti, qualche urla dai ragazzi che giocavano a calcio in uno slargo del prato e, lontano, i motori delle automobili sulle strade. Strizzando gli occhi e aggrottando la fronte per la concentrazione, riuscì a indirizzare l'udito verso l'alto. A poco a poco percepì il frusciare delle foglie nel vento, lo scricchiolio dei rami e un leggero picchiettio di zampe sul legno. Rosie avvicinò la testa al tronco, posò un orecchio sulla corteccia, il picchiettio divenne più chiaro e insistente. C'era attività lassù, e non poca.

Ora, prima di chiamarla "Rosie la Chiacchiera", il suo primo nomignolo a scuola era stato "Scimpa", perché passava la maggior parte delle ricreazioni appesa alle sbarre del campo da gioco con la sua amica Jerry. Le due avrebbero preferito di gran lunga giocare a calcio o saltare alla cavallina con i loro amici maschi, ma da quella volta che a Jerry si era impigliata la gonna sulla schiena di Garreth ed era caduta faccia a terra rompendosi i denti, tutte le ragazze che portavano la gonna come uniforme erano escluse dai giochi dove c'era il rischio di inciampare. Certo, al prossimo cambio di uniforme, le due amiche avrebbero potuto scegliere i pantaloni, ma finché le gonne non fossero diventate troppo strette e corte, le sbarre sarebbero rimaste il regno incontrastato di Scimpa e di Jerry, la sdentata. E così, con le dita come ganci e le braccia come molle, Rosie iniziò ad arrampicarsi, pian piano.

Tutto ad un tratto, si sentì colpire alla nuca da qualcosa di duro e un po' pungente. Alzò gli occhi e vide il suo primo scoiattolo. Quello indietreggiò, la coda in aria dritta e gonfia, e Rosie vide che sul capo portava una specie di elmo verde fatto con il mallo di una ghianda e con al centro una spina. Sul naso e sulle guance aveva dipinta una striscia bianca orizzontale.

L'animale abbassò il capo per colpirla. Rosie fece giusto in tempo a evitare un colpo sul volto, presentando alla successiva testata del guerriero la sua testa ben protetta dalla massa di capelli folti e ricci. Questa volta il pungiglione trovò un punto meno protetto, e a Rosie scappò un «Ahi!», seguito da un «Per bacco!», l'imprecazione più forte che le era permessa da nonna Nina.

Piazzando meglio i piedi sul ramo e alzando una mano per parare ulteriori assalti, Rosie riuscì a esaminare meglio il suo aggressore. S'era fermato su un ramo che sporgeva sul lago, gli occhi fissi su di lei. Rosie si arrampicò un po' più in alto e poi si fermò a poca distanza da lui. Sotto il casco appuntito, occhi lucidi e spalancati, un naso arricciato, un continuo movimento di baffi e denti sporgenti e scheggiati. Sul petto e sul dorso portava altri pezzi di mallo per completare l'armatura; al suo fianco pendeva una borsa a rete con dentro una mezza dozzina di ghiande. Le zampe anteriori erano entrambe alzate e chiuse a pugno. Rosie notò con sorpresa che avevano solo quattro dita, niente pollici. All'improvviso sbucò un altro scoiattolo, che aveva in testa un elmo da ammiraglio fatto di foglie piegate a barchetta.

«Marinaio!» disse l'Ammiraglio, «devi unirti ai cannonieri! D'ora in avanti prendo io il comando».

Mentre il primo scoiattolo si girava dall'altra parte e si arrampicava veloce su per il tronco, l'Ammiraglio si sollevò sulle zampe e fece dei passetti verso Rosie. «Allora, cos'abbiamo qui? Sei arrivata in risposta al nostro SOS?» Più confusa che persuasa, Rosie decise che era meglio non contraddire lo scoiattolo che in quel momento la stava osservando con aria severa e un po' intimidatoria.

«Beh» disse Rosie, «non so se ho ricevuto proprio un appello, ma certo sono venuta per trovare voi scoiattoli».

«E allora, Rosie... benvenuta nella nostra ora di maggior bisogno. Seguimi» si girò e iniziò a risalire il tronco.

Finalmente Rosie si rilassò. Trattenendo a stento una risatina di eccitazione seguì la coda saltellante e l'elmo traballante su per la chioma dell'albero.

Salendo, notò che invece di diventare più faticosa, la scalata si faceva più facile, e i tronchi e le foglie diventavano più grandi. Rosie trovava senza difficoltà appigli a cui aggrapparsi con le mani, nonostante i rami diventassero più radi o fossero troppo grandi da afferrare. I piedi trovavano buchi e fessure che rendevano l'arrampicata più veloce e sicura.

Attorno a sé vedeva dappertutto una frenetica attività. C'erano scoiattoli ovunque, tanti. Alcuni portavano cestini di ghiande dai depositi nel tronco e li impilavano sulle estremità dei rami, altri infilzavano spine sulle castagne a tutto tondo per pungere e ferire il nemico, altri ancora srotolavano grossi gomitoli di ragnatela per farne corde. «Che succede?» chiese Rosie.

Davanti a lei una voce rispose: «Ci prepariamo a respingere gli invasori! Ne sapremo tutti di più quando raggiungeremo il ponte, dove si sta radunando il Parlamento».

II
IL PARLAMENTO DELLA CHIOMA

GLI ULTIMI METRI DELLA SALITA erano stati i
più lunghi. Alla fine, Rosie si trovò su un tappeto
di foglie, intrecciate con corde grigie e sottili, che cir-
condava il tronco. Ai primi passi, quasi cadde. Era come
camminare su un trampolino. L'Ammiraglio le poggiò
una zampa sulla spalla. «Calma» le disse, «passi piccoli
e leggeri sul ponte, come noi, altrimenti balliamo tutti!».

«Va bene» rispose Rosie molleggiando le gambe
per attutire il movimento del tappeto. S'era girata verso

di lui e inaspettatamente i loro sguardi si incrociarono. Rosie si sentì girare la testa e cedere le ginocchia. L'Ammiraglio fece giusto in tempo a tenerla in piedi afferrandola da sotto le braccia con le zampe e attorcigliandole la coda attorno alla vita. «Ci sei?» le chiese. «La prima volta nel Parlamento della Chioma può fare impressione, ma non c'è niente da temere». Rosie si scusò per il mancamento e finse di sentirsi meglio. Dentro, invece, era in grande agitazione: scoiattoli armati, addirittura parlanti, uno scoiattolo Ammiraglio e perfino un Parlamento – quel giorno le sorprese non mancavano. Lei e lo scoiattolo avevano la stessa altezza – e vabbè. Rosie cercava di farsene una ragione: era cresciuto lui o era rimpicciolita lei? In entrambi i casi era successo qualcosa d'insolito, a dir poco. Guardandosi attorno, le foglie intrecciate nel tappeto sotto i suoi piedi sembravano grandi a confronto con le sue scarpe, ma le noccioline che aveva in tasca continuavano a occupare lo stesso spazio di prima. Rosie tirò fuori il pacchetto e, mentre lo guardava, l'Ammiraglio ci ficcò dentro una zampa, ne afferrò una manciata e se la mise in bocca. «Grazie tante» disse masticando, «sembra riso ma sa di... di... noccioline! Che strano».

I dubbi di Rosie vennero risolti definitivamente dal lento cadere di una piuma verde lunga quanto un braccio.

Le passò a pochi centimetri dal naso giusto prima che l'Ammiraglio l'afferrasse a mezz'aria e la ficcasse nella suo elmo. "Chiaramente un tipo che non se ne lascia scappare una" pensò Rosie. «Mi dà un'aria distinta, non pensi?» disse l'Ammiraglio. "È anche vanitoso" pensò Rosie, ma la risposta più educata che le stava uscendo dalle labbra le morì in bocca quando, alzando gli occhi, si trovò ai piedi di un grosso vuoto all'interno della Chioma. Sembrava di essere sotto la cupola di St. Paul con tanto di coro e balconate in alto.

Riflettendoci, Rosie si stupì di non aver mai pensato prima che le chiome degli alberi non erano piene di rami e foglie. Si era fatta l'idea che le chiome fossero fitte come i cespugli. Invece il fitto strato di foglie che si vedeva da giù era come una tenda e all'interno c'era tanto spazio tra i grandi rami, che soltanto alle estremità scoppiavano in ramoscelli carichi di foglie. Tra i rami interni più grossi erano stati stesi altri tappeti come quello dove stava lei e su ognuno c'erano gruppi di scoiattoli che discutevano animatamente. Sembravano spettatori nei palchi di un teatro, in attesa che lo spettacolo cominciasse.

In alcuni palchi c'erano scoiattoli con una striscia bianca che passava sopra al muso da una guancia all'altra. In altri, scoiattoli con un lungo ciuffo che si alzava dalla fronte alla nuca e scoiattoli che portavano una benda attorno alla testa che teneva una piuma nera dalla punta bianca. Rosie li guardava a occhi sgranati e bocca spalancata. l'Ammiraglio la teneva sott'occhio. «Sono le nostre tribù: gli Adamant, gli Pnuk e i Sioux. Noi veniamo dai territori dei Pelle Rossa. La mia famiglia, per la precisione, è venuta in Inghilterra a bordo delle navi che trasportavano legname, pelli e cotone dal Nord America. Ai miei antenati piacque tanto il viaggio per mare, che rimasero sulla nave per anni. Mio nonno e mia nonna sono nati a bordo». Rosie lo vide impettirsi d'orgoglio.

«Però noi, ormai, siamo tutti nativi del parco e questa quercia è la nostra casa, ma oltre al sangue guerriero delle tribù abbiamo anche acqua salata nelle vene».

Sollevando lo sguardo ancora più in alto, Rosie notò una specie di coffa di nave costruita attorno al tronco nella quale erano in animata discussione quattro scoiattoli: uno di ogni tribù più un altro che, con mani in avanti e palmi all'ingiù, sembrava volesse riportare la calma. L'Ammiraglio le spiegò che quello era il posto del Presidente della Chioma, come veniva chiamato il Parlamento. In momenti di pericolo o di crisi, era suo compito radunare tutti gli scoiattoli degli altri alberi del parco, per decidere cosa fare.

«E chi sono tutti gli altri lassù?» chiese Rosie.

«Altri? Che altri?» rispose l'Ammiraglio che mentre parlava con lei controllava il progresso dei preparativi in corso sui rami. Rivolgendo lo sguardo verso l'alto, gridò: «È il Consiglio di guerra, miseria! L'avranno convocato mentre ero di sotto con te. Devo andare» e si mise a correre sul tronco verso la coffa. «E io che faccio?» gli gridava dietro Rosie. «Stai ferma là, ti mando qualcuno che ti spieghi cosa sta succedendo».

Poco dopo Rosie fu raggiunta da due pappagalli identici, le piume verde pistacchio e i becchi rosso fragola.

Le si piazzarono ai lati e iniziarono subito a ciangottare velocemente.

«Sono Bronte» disse il primo.

«E io sono Kerman, ci manda l'Ammiraglio, siamo al tuo servizio».

«Ci ha detto di aggiornarti» riprese Bronte.

«Ma da dove iniziare?» continuò Kerman.

«Che cosa sai?» chiese Bronte, avvicinandosi per guardarla più da vicino. Girandosi dall'altra parte per evitare quel becco curvo e appuntito, Rosie si trovò naso a becco con l'altro. «E tu chi sei?» Si sentiva di nuovo le ginocchia ammosciate, prese una grande boccata d'aria, chiuse per un momento gli occhi e poi si preparò per presentarsi ai due uccellini parlanti, grandi quanto lei. Stava cercando di abituarsi a quella situazione inaspettata, ma non era affatto facile.

Rosie stava per aprire bocca, ma fu interrotta dalla voce ancora più eccitata, raspante e squillante di Kerman. «Ma sei tu! Bronte, è quella! È lei... quella dei cespugli» e poi in tono più basso con un tremolio di incertezza, «ma sei rimpicciolita...». Approfittando della prima pausa concessale dall'arrivo chiassoso dei pappagalli, Rosie gli confermò che, sì, era proprio lei, la bambina che stava con il Custode davanti ai cespugli.

«Brutta faccenda» disse Bronte, «Terribile» continuò Kerman, e poi le fecero un riepilogo dettagliato, completo di imitazioni di accenti e toni per cui i pappagalli verdi sono giustamente famosi nel mondo.

Bronte e Kerman raccontarono la loro missione nei cespugli: non era la prima volta che spiavano le volpi e i ratti. Dopo la scomparsa di due degli Pnuk e la distruzione dei nidi ai bordi del lago, il Presidente aveva chiesto loro di riferirgli se accadevano cose insolite nei dintorni del parco. Le volpi erano i veri padroni di St. James. Parlavano bene e affermavano che la loro permanenza a St. James risaliva ai tempi in cui il terreno del parco era una riserva di caccia reale. Le volpi erano allarmate perché il parco stava diventando sovraffollato di animali immigrati e di uccelli che non solo non erano originari del parco, ma nemmeno del Regno.

Finché questi nuovi arrivati erano di numero contenuto, era possibile integrarli, ma ormai erano troppi e se le cose fossero continuate così, gli animali indigeni come loro sarebbero diventati la minoranza, ospiti a casa loro. Gli scoiattoli, tanto per cominciare, si prendevano tutte le prelibatezze che portavano i visitatori, e così non rimaneva niente per i ratti. Solo le volpi, rubando nei cassonetti, avevano cura di loro. E così, volpi e ratti si erano uniti per cacciare gli intrusi e rimandarli a casa loro, una volta per tutte.

Rosie li ascoltò con attenzione ma non era sicura di capire bene. Il parco le sembrava parecchio grande e lei non era per niente sicura che cacciare gli scoiattoli avrebbe portato gran beneficio ai ratti. E poi, come diceva suo padre, gli inglesi stessi non erano tutti un po' un misto di locali e stranieri? I suoi pensieri furono interrotti quando i rami cominciarono a tremare, e le foglie a cadere. Tutti, d'istinto, nascosero la testa sotto zampe e ali. Rosie era troppo curiosa per fare come loro. Si coprì gli occhi con le mani, le dita allargate per vedere cosa stava per accadere.

Dall'alto si udì un fruscio di penne e pochi istanti dopo un pellicano si fece spazio per entrare, le ali aperte, grandi come le portiere spalancate di un'automobile sportiva; rimase fermo in aria per un attimo, le ali fluttuavano su e giù, e poi andò a poggiarsi su un ramo alto. Aspettava.

Gli scoiattoli, curiosi di natura, piano piano alzarono lo sguardo. Il pellicano stringeva le zampe palmate intorno al ramo per mantenere la presa, le ali semiaperte per mantenersi in equilibrio. Tutti tacevano.

«Zdravstvujtye» uscì dalla gola del pellicano, ma gli scoiattoli e i pappagalli non capivano cosa significasse.

Forse aveva starnutito. Rosie stava per dire "Salute" quando il pellicano rifece quello strano verso, «*Zdravstvujtye*», e poi, dato che nessuno rispondeva né reagiva, scosse l'enorme becco mettendo in mostra una cascata di increspature tremolanti nel gozzo del collo, ed emise di nuovo il gracchio gutturale: «*Zdravstvujtye*».

Rosie non sapeva se quel verso fosse una parola vera e propria o soltanto il suono prodotto dal gozzo scosso, ma il Presidente finalmente pareva aver capito.

«Benvenuto anche a te, Yuri» rispose infatti.

Rosie si girò verso Bronte – o era Kerman? Ancora non riusciva a distinguerli – con la speranza di una spiegazione. «È Yuri, il più grande dei pellicani del lago. Forse è venuto ad aiutarci».

«Illustre Presidente della Chioma, vi porto i saluti del lago. Sono qui per un avvertimento: proprio adesso, mentre parlo, si sta dirigendo verso di voi un branco di ratti guidato dalle tre volpi. Al lago hanno fatto danno, ma non troppo. La maggior parte degli uccelli ha subito preso il volo verso Green Park, Hyde Park e oltre. Noi pellicani, che siamo qui da quasi quattro secoli, ci siamo rifugiati sull'isola, ma in questo momento stiamo discutendo se rimanere. Tuttavia sembra ormai certo che una gran parte di noi vorrà dirigersi verso la grande Madre Russia».

Yuri tacque, aveva notato in basso un animaletto colorato che, saltellando su e giù urlava: «Mi scusi... mi scusi», e intanto agitava le braccia in alto.

«Cos'è quello?» chiese Yuri al Presidente.

«Chi sei?» chiese a sua volta il Presidente sporgendosi dalla ringhiera della coffa per vedere meglio.

«Sono Rosie» gli rispose lei, continuando a saltellare, «Rosie Giuffrida-Watson. Posso fare una domanda?» Senza aspettare una risposta, come era sua abitudine, continuò: «Se ve ne tornate in Russia, dopo così tanto tempo, come fate a sapere che le volpi e i ratti russi non vi cacceranno anche da là?». I due pappagalli le misero le ali attorno per fermarla e tapparle la bocca: «Zitta, in Parlamento si parla solo su invito del Presidente. Se continui così ti farai cacciare».

«Interessante» disse Yuri rivolgendosi al Presidente, «ne discuterò con gli altri pellicani. Nel frattempo, sono queste le volpi e questi i ratti di cui ci dobbiamo preoccupare, qui e adesso. Voi con le vostre difese e noi con le nostre ali. Vi auguro buona fortuna», e con un gran battito d'ali si alzò in aria e si allontanò.

«Avete sentito?» disse il Presidente, «stanno arrivando. Cosa vogliamo fare?».

La tribù degli Adamant fu la prima a parlare: uno scoiattolo un po' più piccolo degli altri si fece avanti, si schiarì la gola con un colpo di tosse e poi annunciò: «Questo è il nostro albero e ormai è la nostra casa. Siamo qui da più di otto generazioni e non abbiamo intenzione di spostarci. E anche se volessimo, il viaggio sarebbe difficile e pericoloso e alla fine che cosa troveremmo? Per questo rimarremo, e se significa lottare, noi lotteremo. Siamo pronti».

Il silenzio che seguì fu rotto dal Presidente. «E voi delle tribù degli Pnuk e dei Sioux, che dite?» chiese.

La risposta fu un coro di "Anche noi", "Noi pure" e "Tutti insieme!".

A quel coro si aggiunsero le voci squillanti dei pappagalli, che già prima si erano alleati con gli scoiattoli. Erano arrivati uno a uno, zitti zitti, e si erano mimetizzati tra le foglie. Dopotutto, condividevano l'albero ed erano consapevoli che, essendo loro gli ultimi arrivati nel parco, il male che colpiva oggi gli scoiattoli, avrebbe potuto colpire loro in futuro. Era meglio affrontarlo insieme ora, piuttosto che guadagnare un po' di tempo per poi ritrovarsi a lottare da soli.

Imponendo di nuovo il silenzio, il Presidente annunciò: «Allora, fratelli scoiattoli e pappagalli, passo il comando all'Ammiraglio». Seguì un coro di "Signor sì!" da tutta la Chioma. E con questo, il Presidente cedette la parola all'Ammiraglio, e si avviò lentamente verso il basso.

L'Ammiraglio era a suo agio lassù nella coffa. Prima di parlare, volle rassettarsi pelo e piuma. Prese il controllo della seduta con un fischio lunghissimo e acuto. Gli altri scoiattoli, zitti, pendevano dalle sue labbra baffute.

«Amici e fratelli! Vinceremo! Fidatevi di me. Ricordatevi i tre princìpi degli scoiattoli! Primo: Obbedire!»

E gli scoiattoli all'unisono ripetevano: «Obbedire!».

«Secondo: Non aver paura!»

E gli scoiattoli ripetevano: «Non avere paura!».

Terzo: «Non dimenticare mai che siamo nel giusto!».

E gli scoiattoli all'unisono: «Siamo nel giusto!».

«E allora» riprese l'Ammiraglio, «cosa accadrà? Ditemelo voi».

E da tutta la quercia uscirono rombanti le voci di tutti gli scoiattoli: «Vinceremo!!».

L'Ammiraglio ripeté: «Vinceremo? Ditemi, sì o no?».

«Sì, vinceremo!»

L'Ammiraglio ripeté la domanda tre volte, e la risposta arrivava sempre più forte. «Sì, vinceremo!» Anche Rosie partecipava.

L'albero oscillava, tanta era la forza delle parole.

«Pnuk, a rapporto sul ponte di batteria. I nemici verranno dal lago. Sioux, portate al sicuro civili e viveri e verificate quanto spazio c'è nel nido dei pappagalli. Adamant, a rapporto nell'armeria e preparatevi a respingere gli invasori. Riunione dei capi delle tribù e dei pappagalli in coffa alla prossima campana del Big Ben».

12
UNA QUESTIONE DI POLLICI

INVECE DELLA CONFUSIONE che Rosie si sarebbe aspettata, gli ordini dell'Ammiraglio vennero eseguiti con una rapidità e una precisione quasi militari, anzi navali. Tant'è che Rosie si trovò un posto in disparte, per non essere d'impiccio e per osservare i preparativi della battaglia da lì.

Da un buco nel tronco vide uscire scoiattoli in armatura con elmetti a punta, come quello che le aveva dato il suo primo sgradito benvenuto. Altri soldati accompagnavano

nelle tane più in alto vecchi e mamme con scoiattolini te-
nuti con la bocca. Rosie si offrì di aiutarli, ma i piccoli, sorpresi alla vista di una bambina alta quanto uno scoiattolo,
le scappavano via non appena lei cercava di metterseli in
braccio, preferendo di gran lunga farsi prendere per il collo dalla bocca di uno scoiattolo adulto. Alla fine Rosie,
sentendosi d'intralcio anziché di aiuto, si sedette su un
ramo, la schiena appoggiata al tronco e le gambe penzo-
loni, per ammirare il lavoro dei soldati che si preparavano
alla difesa.

Tutto il lato del tronco a dritta, la parte cioè che dava
verso il lago, venne coperto con una rete di cordame che
collegava le varie postazioni di artiglieria fra loro e con
l'arsenale che si trovava in una grande cavità del tronco.
Da lì uscivano, diretti verso le postazioni, scoiattoli cre-
stati appesantiti da castagne spinate e cesti di ghiande.
Rosie vide legare le catapulte ai rami più robusti e ac-
catastare a piramide scorte di munizioni, pronte all'u-
so. Poi vide salire alcuni Pnuk particolarmente grossi e
robusti che controllavano l'efficienza del loro equipag-
giamento, tirando ben indietro la fionda e poi lascian-
dola scattare in avanti. Finito il lavoro sulle postazioni
più basse, gli Pnuk si arrampicarono sulle corde per raggiungere quelle più in alto e lì ripetere i loro controlli.

Più li guardava e più Rosie si sentiva inutile. "Forse è arrivato il momento di tornarmene giù" pensava, "forse mamma e papà hanno finito di 'discutere'?"

Sentì qualcuno tirarle un piede dal basso: "Ehi tu, seguimi, che ho cose da farti fare» diceva una vocina. Poi, un altro strappo, e Rosie si sentì scivolare verso il basso. Stava per atterrare su un altro ramo, quando vide uno scoiattolo girarsi con un fruscio di coda ed entrare in un buco nella corteccia. Rosie lo seguì in una tana circolare.

Dentro, la tana era molto più grande di quanto si aspettasse. In alto sulle pareti, erano legate una mezza dozzina di amache che finivano tutte con la testa fissata a un perno centrale. Rosie andò sotto il perno e sollevò lo sguardo. Da lì le amache sembravano una stella. «Benvenuta nell'infermeria, Rosie. Sono Filomena, il dottore delle tribù. Avrei bisogno urgente dei tuoi pollici».

«Dei miei pollici!?» chiese Rosie, chiudendoci le dita attorno e facendo pugni protettivi.

«Sì, per strappare le foglie di salice e farne bende, pronte da usare per le ferite di guerra. I pollici sono una delle poche cose che rimpiango di quando ero come te. Ma mi accontento del mio bel pelo...» e torcendosela attorno come una sciarpa morbida e calda aggiunse: «... e della coda più confortevole del regno animale». Poi le indicò un mazzo di foglie e una grande cesta con dentro soltanto due bende verdi arrotolate, pronte all'uso. Rosie ci si mise d'impegno, per ogni benda che faceva Filomena, lei ne faceva due o tre. Lavorando assieme, chiacchieravano liberamente.

«Scusami, forse ho sentito male... In che senso un tempo eri come me?» chiese Rosie, che non aveva fatto altro che pensare a quella strana frase uscita dalla bocca di quella che sembrava una scoiattola a tutti gli effetti, e per giunta vecchia: lo si capiva dal pelo rado e arruffato sul capo.

«Esattamente, ero una bambina. Io e la mia famiglia vivevamo a Clapham, in una delle case vittoriane ai bordi del parco. Un giorno, tanti anni fa, eravamo lì per la solita passeggiata con Sharp, il nostro cane, un bastardino dal pelo nero che per me era come un fratello. Avevo esattamente la tua età, nove anni».

«Come lo sai?» Rosie era stupita, tutti le dicevano che sembrava una ragazzina.

«Noi che siamo passati da una specie a un'altra osserviamo bene tutto e tutti» rispose Filo, e con un guizzo negli occhi aggiunse: «Ho indovinato, vero?».

«Sì» rispose Rosie, imbarazzata. «Ma tu come sei finita qui, al parco di St. James, da Clapham? Io arrivo a Clapham con l'autobus da Peckham, ci vuole tanto tanto tempo!» e smise di strappare le foglie, aspettava la risposta.

«È una storia triste e lunga. Adesso te la racconto, intanto continua ad aiutarmi» e Filo aggiunse, con un sorrisetto arguto: «ce ne servirebbero decine dei vostri utilissimi pollici, adesso che c'è una guerra in corso!».

Le due lavoravano di buona lena, chiacchierando fitto fitto. Filo ricordava perfettamente quello che era successo quel giorno di ottobre del 1987. Erano nel parco, tutta la famiglia. Furono sorpresi da un temporale pauroso: pioggia, vento e fulmini. Gli alberi secolari del parco, tranne qualcuno piccino e testardo, erano stati sradicati; cadendo avevano ucciso chi si trovava nei paraggi, esseri umani e animali. Filo aveva visto morire i genitori, accanto a lei, schiacciati dal tronco di una quercia centenaria. Sharp era corso per salvarli, ma gli era caduta addosso un'altra quercia, ed era morto anche lui. Lei, miracolosamente, l'aveva scampata per un soffio. Attorno la tempesta continuava. Il vento strappava gli scoiattoli dai rami, risucchiava gli uccelli che tentavano di volare via e li sbatteva a terra e contro i rami, dove morivano. La gente cercava di scappare, ma tanti cadevano.

«Ero amica degli scoiattoli» disse Filo, «e talvolta, quando ero lontana dai miei genitori, parlavo con loro del più e del meno. Fradicia di acqua, in quell'inferno ero completamente sola. Senza più la mia famiglia e senza Sharp.

Non osavo muovermi e guardavo in basso. Alcuni scoiattoli caduti a terra cominciavano ad alzarsi e a passetti piccoli, in fila, cercavano di lasciare il parco; altri scoiattoli si univano alla fila, e io li seguii. Erano diretti alla stazione del metrò».

Rosie ascoltava ammaliata, letteralmente a bocca aperta. «E poi?»

«E poi per giorni e giorni facemmo un viaggio molto pericoloso, di notte lungo i binari dei treni, di giorno attraverso i cavi del sistema del ricambio dell'aria, nei corridoi abbandonati, sulle scale in disuso, perfino attraverso le fogne dove però scorrazzavano i terribili ratti, che degli scoiattoli sono sempre stati nemici».

«E tu che cosa eri? Bambina o scoiattolo?».

«All'inizio ero io, Filomena, una bambina, ma ben presto cominciai ad avere peli sulle ginocchia, avanzavamo carponi e altrimenti si sarebbero riempite di ferite, poi sulle dita, e sul collo... senza che me ne accorgessi. Dopo che arrivammo qui mi ritrovai un giorno una scoiattola come le altre!»

«E ne sei contenta?» Rosie era curiosa.

«Sì e no... più sì che no...» e poi aggiunse «francamente, mi dispiace non avere più i pollici!».

Parlando parlando, erano passate a preparare le medicine per i feriti in arrivo. Di lì a poco sarebbero arrivati i barellieri con i feriti in lettiga. Filomena mescolava la polvere di bacche e foglie, conservata in vasetti di corteccia, e vi aggiungeva acqua e goccioline di miele, "per rendere la medicina meno amara ai poveri feriti". A Rosie sembrava tanto simile allo slime che faceva a casa di Jerry.

Tutto ad un tratto Rosie chiese: «Allora anch'io potrei diventare scoiattolo?». Filo stava travasando il liquore di bacche in gusci di noce da offrire ai primi arrivati; alzò lo sguardo. «Devi volerlo fortemente. Io non avevo più nessuno, nel mondo degli umani. Tu, se non mi sbaglio, hai due genitori. È una decisione tua soltanto. Ci vuole tempo, per diventare scoiattoli».

«Si può anche ritornare esseri umani?»

«Sì, se lo si vuole... fortemente. Secondo me, soltanto per amore. Io non avevo padre e madre... Qui mi vogliono bene tutti. E io voglio bene a loro». E la guardò dritto negli occhi. Rosie ricambiò lo sguardo, e notò che Filo aveva ancora gli orecchini. Stava per chiederle che altro si fosse tenuta per ricordo della sua vita umana, ma da sempre più vicino arrivavano il gridio dei ratti e i latrati delle volpi, che l'avevano turbata.

Filo se n'era accorta. «Ti meriti un po' di riposo. Vai fuori, e ritorna quando ti senti meglio. E pensa a quello che vuoi essere».

Vicino all'infermeria, Rosie si rincantucciò nell'incavo di un ramo, da cui godeva di un'ottima vista verso il basso. Era sola, la schiena contro la corteccia del tronco. I guerrieri erano dovunque, scoiattoli sui rami e ai piedi della quercia e, fuori, i ratti e le tre volpi. Rosie aveva paura. Tanta. Davvero. PAURA. Cercava di distrarsi, di pensare ad altro, ma la paura era grandissima. Nonna Maude le diceva sempre: «Se hai paura, pensa a qualcuno che ne ha più di te, e vai da quella persona. Vi conforterete a vicenda. Le vostre paure, insieme, diventeranno piccole piccole. E voi due rimarrete amiche per la vita». Ma Rosie non sapeva da chi andare. Poi vide sull'albero dirimpetto una famiglia di scoiattoli, chiaramente sorpresi mentre erano fuori, i piccoli accucciati tra le zampette della mamma, e coperti dalla sua coda grigia. A Rosie era sembrato di sentire il loro tremolio. E si sentì meglio.

13

LA GUERRA

POCO DOPO ROSIE vide lanciare il primo proiettile. Con il tirare di una delle tante cime che aveva visto legare, il ramo davanti alla postazione si sollevò. A quel punto, un grosso scoiattolo balestriere tese la fionda finché gli tremarono i fianchi e le braccia, e poi la rilasciò di scatto, perdendo quasi l'equilibrio. La castagna appuntita volò in alto nel cielo dove fu seguita da una raffica di nuovi proiettili lanciati in contemporanea dagli altri balestrieri. Il loro atterraggio seminò il panico tra i ratti che avanzavano in avanguardia davanti alle tre volpi. Alcuni ratti si fermarono e uno di loro, ferito da un proiettile che rimbalzando lo aveva colpito sul muso, urlò di dolore e iniziò a indietreggiare verso le volpi.

Una volpe lo bloccò con la zampa per fermarlo. Poi lo afferrò con i denti e lo ributtò in avanti. Le altre due ringhiarono e mostrarono i denti ai ratti che le guardavano impauriti. Non c'era bisogno di parole, né per i ratti né per gli scoiattoli sull'albero: sarebbe stata una lotta all'ultimo sangue.

Il bombardamento continuò senza tregua, ma non appena le scorte di munizioni degli scoiattoli cominciarono a diminuire, il nemico prese ad avanzare più veloce verso la quercia accompagnato dal digrignare delle volpi.

I ratti erano proprio sotto l'albero, vicini al tronco.

I cannonieri si trasferirono sulle piattaforme più basse dove c'erano le scorte di ghiande. Là furono raggiunti da altri Pnuk più giovani. Ognuno si riempiva le guance di ghiande, prendendone fino a quattro alla volta e, inspirando fino ad assumere la forma di palloncini gonfi e pelosi, le sputavano a mitraglia contro gli aggressori. Si curvavano indietro per poi lanciarsi in avanti al momento di fare fuoco.

Rosie li guardava con ammirazione. Lanciavano lungo, rapidi e con una mira che avrebbe suscitato l'invidia di tutti i bambini nel cortile di St. Mungo. Anche Rosie si mise a tirare ghiande con le mani, ma con meno effetto. Però, dalla sua posizione, Rosie vedeva chiaramente che l'incontro poteva avere soltanto un esito: le pile di ghiande stavano finendo e le truppe nemiche non indietreggiavano. L'Ammiraglio doveva pensarla come lei, perché ordinò ad alta voce: «Corazzieri degli Adamant, Formazione Corona di Spine!».

Spalla a spalla e a testa in giù gli Adamant, quelli con la striscia bianca sulle guance, formarono un cerchio attorno al tronco. Dalla posizione di Rosie potevano sembrare una soffice cintura di batuffoli, ma da sotto le file di elmetti con le loro punte affilate facevano pensare ben altro a chiunque avesse l'intenzione di abbordare il tronco e conquistare la Chioma. Alla loro vista, i ratti esitarono. Avevano paura. Pur non indietreggiando, sembravano angosciati dalla prospettiva di una lotta tra i loro nasi e gli elmi spinati degli scoiattoli. Infine furono le volpi ad avanzare lentamente da dietro, ringhiando minacciose contro i ratti. Arrivate fin quasi a toccare le code di questi, le volpi si misero a latrare e i ratti, impauriti, iniziarono, prima a piccoli passi e poi di corsa, ad arrampicarsi sul tronco.

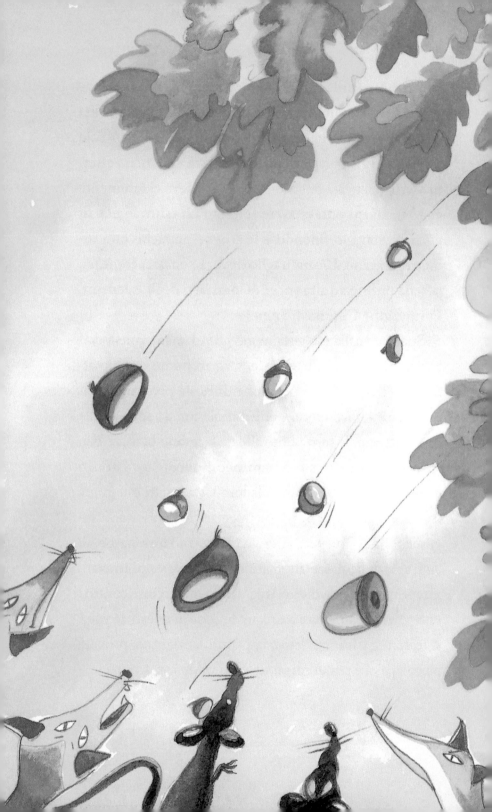

La lotta fu intensa e molti ratti caddero colpiti dalle testate degli Adamant.

All'improvviso Rosie vide la linea di difesa rompersi e il primo scoiattolo perdere la posizione: cadde a terra, il casco calato sugli occhi. Rimessosi subito in piedi, strinse le zampe e prese a dare testate feroci all'aria. «Avanti» diceva, «fatevi avanti». Sferrando pugni nel vuoto, si girava a destra e a sinistra. «Paura, eh?! Se vi vedo vi ammazzo. Fate bene a nascondervi».

Tutte e tre le volpi lo circondarono con un grottesco ghigno sul muso. Una fece finta di azzannargli la coda, facendogli perdere l'equilibrio. «Ti sento» disse lo scoiattolo rimettendosi in piedi, «attenta che ti picchio».

La volpe continuò il suo divertimento crudele. Poi, annoiata dal gioco, gli diede una leggera zampata sul petto e lo fece cadere. «Facciamola finita» disse alle altre due, «ma lentamente. Che tutti gli altri possano vedere cosa li aspetta».

Rosie non fece in tempo a coprirsi gli occhi che una grande ombra si abbassò sul prato. Rosie alzò lo sguardo impaurita. Uno dopo l'altro, enormi volatili calavano dal cielo, offuscandolo. Poi si abbassavano sul parco e volavano rasoterra verso le volpi. Erano i pellicani del lago, che volavano in formazione e lanciavano gridi striduli e penetranti. I ratti si diedero immediatamente alla fuga. Le volpi, invece, rimasero immobili finché il primo pellicano col becco afferrò una di loro per la coda e senza darle il tempo di reagire si levò in volo, ma non si allontanò. Fece un giro largo mentre la volpe guaiva. Seguendo il suo esempio, altri due pellicani presero le due volpi rimaste a terra e tutti e tre si diressero verso il lago. Volavano ora sopra quelle rocce su cui amavano appollaiarsi per prendere il sole.

Fu una questione di attimi. *Plonk!* Le volpi caddero una dopo l'altra a testa in giù, batterono sulla pietra e scivolarono nell'acqua per non uscirne mai più. Dall'albero, Rosie e tutti gli scoiattoli seguirono stupiti il volo dei pellicani e la caduta delle tre volpi.

Il cielo si colorò di verde: i pappagalli si erano librati in volo sul parco, e cinguettavano la notizia della sconfitta dei ratti e delle volpi.

Fino a quel momento, Rosie non aveva degnato il parco di uno sguardo, tanto era stata occupata. Ora si accorgeva che nei sentieri c'erano alcune Land Rover della polizia dei parchi reali, e che un certo numero di poliziotti si muoveva nel prato e tra gli alberi: cercavano qualcosa o qualcuno. Poi fu distratta da una barella degli Adamant. Un gruppo di Adamant era sceso cautamente a terra per recuperare il compagno caduto dall'albero. Gli sistemarono l'elmetto e gli ridiedero la vista. A quel punto lo scoiattolo si convinse che la scomparsa del nemico fosse tutto merito suo, e nessuno volle dissuaderlo: glielo avrebbero spiegato più tardi. Gli scoiattoli erano talmente felici di vederlo sano e salvo che se lo portarono sulle spalle girando attorno all'albero e cantando le sue lodi.

14
LA FESTA DELLA VITTORIA

C'ERANO TUTTI, sotto la Chioma della quercia, per la festa della vittoria dei pellicani, degli scoiattoli e dei pappagalli verdi. Erano davvero tutti.

Dall'alto, i genitori facevano scendere i loro scoiattolini sui rami in basso che lambivano il prato, perché potessero assistere alle celebrazioni e fare tesoro di quel momento. Da adulti, un giorno, ne avrebbero parlato ai loro piccoli.

I pellicani erano gli eroi. Yuri, commosso, fece un

discorso memorabile. Parlò della disperazione dei primi pellicani, trasportati nel 1664 dalla loro San Pietroburgo a Londra, e poi del loro inserimento nella vita del parco di St. James. Yuri ricordava i bravi Custodi degli uccelli, e anche quelli meno bravi, nei quasi quattro secoli che erano passati dal loro arrivo. Poi parlò della loro sofferenza. Avevano sofferto più di tutti gli altri animali del parco negli ultimi anni, a causa dei ratti.

«Abbiamo proposto ai nostri figli di tornare in Russia. Ma non vogliono, si sentono inglesi, anzi londinesi» disse Yuri, «e li capisco. Si sono anche rifiutati di andare temporaneamente all'estero».

Un altro pellicano raccontava che, nonostante loro fossero una piccolissima minoranza all'apparenza diversa da tutti gli altri uccelli del parco – una quarantina in tutto –, si trovavano bene con gli altri animali, e si erano sempre sentiti a casa. Erano felici di essere stati di aiuto agli altri abitanti del parco.

«Rimaniamo qui tutti» concluse Yuri. Il Presidente e l'Ammiraglio concordarono con Yuri.

A un certo punto, si udì il suono della sirena della polizia dei parchi reali.

Rosie aveva ascoltato avidamente le parole dei vincitori. Ogni tanto le sembrava di sentire la voce di qualcuno che la chiamava, ma quella voce era seppellita dal clamore degli scoiattoli e dei pappagalli. Poi sentirono una voce maschile all'altoparlante: «Si cerca una bambina di nove anni, che risponde al nome di Rosie Giuffrida-Watson, vestita con un abitino bianco a righe!».

«Rosie, vieni» la chiamava l'Ammiraglio. Rosie era ancora appollaiata sul suo ramo. Lui le indicò una macchina con le luci lampeggianti e un altoparlante sul tetto. Procedeva lentamente lungo il perimetro del parco. A fianco c'era il Custode che a piedi e con un bastone in mano smuoveva cespugli e arbusti per guardare meglio. Oltre, Rosie riusciva a vedere altra gente in divisa che si estendeva come una rete sui prati e tra gli alberi e le aiuole. A turno si fermavano per chiamare il suo nome, ascoltare in attesa di una risposta e poi continuare la ricerca.

«Vai!» le disse Filo, che le si era nel frattempo avvicinata in silenzio. «Vai, vai da tuo padre e tua madre, e non avere paura, mai più» le mormorò, e con la zampetta la spingeva a terra.

Rosie si guardava attorno, non voleva lasciare gli scoiattoli. Anche lei avrebbe voluto rimanere lì con loro e diventare un'abitante del parco di St. James.

Filo le diede una seconda spinta leggera e Rosie saltò a terra. Sbatté sulle foglie e cadde. Si alzò con una certa fatica, si sentiva pesante. Si guardò intorno.

Gli scoiattoli erano scappati sull'albero, i pellicani volavano ad ali spiegate verso i loro nidi. Rimanevano soltanto i pappagalli verdi, sui rami sopra di lei. Sembravano piccini. Soltanto allora Rosie si accorse che era cresciuta: era la Rosie di prima, una bambina di nove anni più alta della sua età. Aguzzò lo sguardo. Due poliziotti camminavano nella sua direzione, sul prato. Lei si nascose dietro il tronco.

«Non se ne vedono, di bambine, in giro, sarà stata portata via dai suoi rapitori!»

«Poveri genitori!» diceva l'altro, «guardali», e indicava con il dito una panchina lungo il lago.

Rosie seguiva la linea di quel dito, e li riconobbe subito, erano il suo papà e la sua mamma. Si avvicinò, cauta, nascondendosi tra i cespugli e i tronchi.

Il papà e la mamma erano seduti su una panchina ma non guardavano il lago. Piangevano, abbracciati. Un poliziotto stava di guardia. La gente che passava davanti cercava di non guardarli.

Rosie si avvicinava, incerta. L'avrebbero rimproverata? Avrebbero bisticciato di nuovo? E il poliziotto che le avrebbe detto? Sembrava un buon uomo, ogni tanto porgeva un fazzoletto di carta. La mamma lo prendeva e toglieva con delicatezza le lacrime dal volto del papà. Poi gli metteva il fazzoletto di carta nel cavo della mano. Il papà stringeva il fazzoletto, le prendeva la mano e le baciava le dita, una alla volta, prima di chiuderle sul palmo di lei. Erano molto teneri, pensava Rosie. Sembravano due innamorati.

«Rosie, Rosie» chiamava la mamma, la voce fioca.

«Rosie, Rosie» echeggiava il papà.

In un baleno, Rosie fece una corsa e li raggiunse.

Poco dopo erano tutti e tre sull'autobus 12, di ritorno a casa.

«Amore mio, è proprio vero che non ricordi dove sei stata per due ore?» ripeteva la mamma, le teneva stretta la mano, come se Rosie potesse scappare dall'autobus.

Rosie sorrideva, tra le braccia dei suoi genitori, e pensava già alle chiacchiere che avrebbe fatto con Mrs Draper.

INDICE

1. Rosie la Chiacchiera 7

2. Bambina a bordo 13

3. Babysitter a quattro ruote 23

4. Attenti al coccodrillo 31

5. Vacanza d'emergenza 37

6. Sul 12 in tre 43

7. A cavallo verso St. James 49

8. Patties contro panzerotti 57

9. Il Custode in canoa 63

10. Un incontro insolito..................................... 73

11. Il Parlamento della Chioma.......................... 81

12. Una questione di pollici 95

13. La guerra... 105

14. La festa della vittoria.................................... 113

RINGRAZIAMENTI

Come i bravi bambini, alla fine di una visita familiare, prima si ringrazia il padrone di casa: quindi grazie a Beatrice Fini di Giunti che ci ha sfidato a raccontare l'avventura di Rosie tra gli abitanti pelosi e pennuti del parco di St. James. Poi tocca a chi ci ha curato durante la visita: si faccia avanti Margherita Trotta, che con tanta pazienza e altrettanto buonumore ci ha fatto divertire nel compito, non semplice, di scrivere un libro a quattro mani. E poi al nostro trio si è aggiunta Mariolina Camilleri che con la sua bella famiglia in carovana è venuta a Londra per aggiungere colore al nostro lavoro in bianco e nero. Però infine il ringraziamento più meritato va a voi lettori. È per voi che il libro è stato scritto. Speriamo che vi piaccia, e non esitate a chiedere se ci trovate cose poco chiare. A volte gli adulti possono anche essere utili.

ROSIE

BRUNO

BRENDA

MRS DRAPER

CUSTODE

SCOIATTOLI

FILOMENA

KERMAN & BRONTE

YURI

RATTO

VOLPE

L'ALBERO GENEALOGICO

L'albero rappresenta
le tue origini, le tue
radici, da dove provieni.
E ogni ramo è un tuo
antenato, chi ti ha
preceduto, le persone
che chiami
"famiglia". Come
Rosie, ognuno
di noi ha un albero
e ogni albero è
diverso, prova
a ricostruire il tuo!